Wallace D. Wattles

A CIÊNCIA DE FICAR RICO

Título original: *The Science of Getting Rich*

Copyright © 1910 Wallace D. Wattles

A ciência de ficar rico
5ª edição: Janeiro 2025

Direitos reservados desta edição: Citadel Editorial SA

O conteúdo desta obra é de total responsabilidade do autor e não reflete necessariamente a opinião da editora.

Autor:
Wallace D. Wattles

Tradução:
Karina Gercke

Preparação de texto:
3GB Consulting

Revisão:
Iracy Borges e Tássia Carvalho

Projeto gráfico:
Jéssica Wendy

DADOS INTERNACIONAIS DE CATALOGAÇÃO NA PUBLICAÇÃO (CIP)

Wattles, Wallace Delois, 1860-1911
  A ciência de ficar rico / Wallace Delois Wattles ; tradução de Karina Gercke. – São Paulo : Citadel, 2021.
  128 p.

ISBN: 978-65-5047-123-1

1. Sucesso 2. Riqueza I. Título II. Gercke, Karina

21-4734   CDD - 158.1

Angélica Ilacqua - Bibliotecária - CRB-8/7057

Produção editorial e distribuição:

contato@citadel.com.br
www.citadel.com.br

Wallace D. Wattles

A CIÊNCIA DE FICAR RICO

Tradução:
Karina Gercke

2021

Sumário

Prefácio		7
I.	O direito de ser rico	11
II.	Existe uma ciência para ficar rico	17
III.	A oportunidade pode ser monopolizada?	23
IV.	O primeiro princípio da ciência para ficar rico	29
V.	Progredindo na vida	37
VI.	Como a riqueza vem até você	45
VII.	A gratidão	53
VIII.	Pensando de modo certo	59
IX.	Como usar a força de vontade	65
X.	Estimulando o uso da força de vontade	73
XI.	Agindo de modo certo	81
XII.	A ação eficiente	89
XIII.	Entrando no negócio certo	95
XIV.	A sensação de prosperidade	101
XV.	A pessoa próspera	107
XVI.	Algumas advertências e observações conclusivas	113
XVII.	Resumo da ciência para ficar rico	121

Prefácio

Este livro é pragmático, não filosófico; um manual prático, não um tratado sobre teorias. Destina-se a homens e mulheres cuja necessidade mais urgente é obter dinheiro; que desejam ficar ricos primeiro e filosofar depois. Ele é para aqueles que, até agora, não encontraram tempo, nem meios, nem oportunidades de se aprofundar no estudo da metafísica, mas que desejam resultados e estão dispostos a tomar as conclusões da ciência como fundamento para a ação, sem passar por todos esses processos pelos quais essas conclusões foram alcançadas.

Espera-se que o leitor se aproprie dos principais fundamentos com base na confiança, assim como faria em relação a uma lei da ação elétrica se esses fundamentos fossem divulgados por um Marconi ou um Edison; e, apropriando-se deles pela confiança, que constate sua veracidade agindo de acordo com eles sem medo ou hesitação.

Todo homem ou mulher que fizer isso certamente ficará rico, pois a ciência aqui aplicada é uma ciência exata, e o fracasso é impossível. Entretanto, para o benefício daqueles que desejam pesquisar teorias filosóficas e, assim, assegurar uma base lógica para a confiança, citarei aqui certas teorias que corroboram pontos importantes.

A teoria monística do universo – a teoria de que Um é Tudo, e que Tudo é Um, e essa Substância única se manifesta como os muitos elementos aparentes do mundo material – é de origem hindu e tem conquistado gradualmente lugar no pensamento do mundo ocidental por duzentos anos. Ela é a base de todas as filosofias orientais e das de Descartes, Spinoza, Leibnitz, Schopenhauer, Hegel e Emerson.

Ao leitor que deseja se aprofundar nos fundamentos filosóficos aconselha-se ler Hegel e Emerson; também fará bem se fizer a leitura de *The Eternal News*, um livreto excelente publicado por J. J. Brown, de Glasgow, na Escócia. Ele também pode encontrar alguma ajuda em uma série de artigos escritos pelo autor deste livro que foram publicados na *Nautilus* (Holyoke, Massachussetts) durante a primavera e o verão de 1909, sob o título "What is Truth?".

Ao escrever este livro, sacrifiquei todas as outras considerações em nome da clareza, concisão e simplicidade de estilo, para que todas as pessoas pudessem compreendê-lo. O plano de ação aqui estabelecido foi retirado das conclusões filosóficas, foi exaustivamente testado e tem o aval supremo da experiência prática; funciona. Se você deseja saber como as conclusões foram tiradas, leia os escritos dos autores mencionados anteriormente; e, se você quiser colher os frutos das filosofias deles na prática, leia este livro e faça exatamente o que ele lhe diz para fazer.

– O AUTOR

CAPÍTULO I

O direito de ser rico

Não importa o que pode ser dito em louvor da pobreza, permanece o fato de que não é possível alguém viver uma vida realmente completa e bem-sucedida a menos que seja rico. Nenhum homem pode atingir seu maior nível possível em talento ou desenvolvimento de alma, a menos que tenha muito dinheiro – pois, para desenvolver a alma e talentos, ele precisa ter muitas coisas à sua disposição, e não pode ter essas coisas a menos que tenha dinheiro para comprá-las.

O homem se desenvolve em mente, corpo e espírito fazendo uso das coisas, e a sociedade é tão organizada que o homem precisa ter dinheiro para se tornar detentor das coisas; portanto, a base de todo avanço para o homem deve ser o conhecimento de como ficar rico.

O objetivo de toda vida é a evolução, o desenvolvimento, e tudo que vive tem o direito inalienável a todo desenvolvimento, a toda prosperidade que é capaz de atingir.

O direito do homem à vida significa o seu direito de ter o uso livre e irrestrito de todas as coisas que podem ser necessárias para sua plena expansão mental, espiritual e física; ou, em outras palavras, seu direito de ser rico.

Neste livro, não falarei de riquezas de maneira figurada; ser realmente rico não significa estar satisfeito ou contente com pouco. Nenhum homem deve se contentar com pouco se for capaz de aproveitar e desfrutar mais. O propósito da natureza é o avanço, a evolução e o desenvolvimento da vida, e todo homem deve ter tudo que possa contribuir para o poder, elegância, beleza e riqueza da vida; estar contente e satisfeito com menos é pecaminoso.

O homem que possui tudo o que deseja para viver a vida que é capaz de viver é rico; e nenhum homem que não tenha muito dinheiro pode ter tudo o que deseja. A vida avançou tanto e se tornou tão complexa que mesmo o homem ou a mulher mais comum precisa de uma grande quantidade de riqueza para viver de uma maneira que se aproxime da plenitude. Cada pessoa, de modo natural, deseja se tornar tudo o que é capaz de ser; esse desejo de realizar possibilidades inatas faz parte da natureza humana; não podemos deixar de querer ser tudo o que podemos ser. Sucesso na vida é se tornar o que você deseja ser; você pode se tornar o que deseja apenas fazendo uso das coisas, e pode usar as coisas de modo livre apenas quando se torna rico o suficiente para comprá-las. Compreender a ciência de como ficar rico é, portanto, o mais essencial de todos os conhecimentos.

Não há nada de errado em querer ficar rico. O desejo de riquezas é realmente o desejo de uma vida mais rica, mais plena e mais abundante, e esse desejo é louvável. O homem que não deseja viver de modo mais abundante não é normal, e, portanto, o homem que não deseja ter dinheiro suficiente para comprar tudo o que deseja é anormal.

Existem três motivos pelos quais vivemos: vivemos por causa do corpo, vivemos por causa da mente e vivemos por causa do espírito. Nenhum desses motivos é melhor ou mais sagrado que o outro; todos são igualmente aceitáveis, e nenhum dos três – corpo, mente ou espírito – pode existir plenamente se um dos outros for impedido de plena vida e expressão. Não é certo ou nobre viver apenas para a alma e negar a mente ou o corpo; e é errado viver para o intelecto e negar o corpo e o espírito.

Todos nós conhecemos as detestáveis consequências de viver para o corpo e negar a mente e o espírito, e sabemos que a vida real significa a expressão completa de tudo o que o homem pode compartilhar por meio do corpo, da mente e do espírito. Não importa o que ele diga, nenhum homem pode ser realmente feliz ou satisfeito a menos que o seu corpo esteja completamente vivo em todas as funções e a menos que isso também seja verdadeiro quanto à sua mente e ao seu espírito. Onde quer que haja possibilidades veladas, ou funções não exercidas, existe desejo insatisfeito. O desejo é a possibilidade buscando por expressão, ou propósito buscando por desempenho.

O homem não pode viver de modo pleno no seu corpo sem boa comida, roupas confortáveis e um abrigo aconchegante – e sem se libertar de esforço excessivo. O descanso e o lazer também são necessários ao seu corpo.

Ele não pode viver de modo pleno em sua mente sem livros e sem tempo para estudá-los, sem oportunidades de viagens e contemplação, ou sem parcerias intelectuais.

Para viver de modo pleno em sua mente, ele deve estar cercado de distrações intelectuais, e também deve se cercar de todos os objetos de arte e beleza que seja capaz de utilizar e apreciar.

Para viver de modo pleno em seu espírito, o homem deve ter amor; e o amor lhe é negado pela pobreza.

A maior felicidade do homem é encontrada por meio de prover todas as coisas àqueles que ele ama; o amor encontra sua expressão mais natural e espontânea por meio da doação. O homem que nada tem para dar não pode preencher seu lugar como marido ou pai, como cidadão ou como homem. É ao utilizar, tirar proveito de coisas materiais que o homem encontra vida plena para o corpo, desenvolve a mente e expande o espírito. Portanto, é de suma importância para o homem que ele seja rico.

É perfeitamente correto que você deseje ser rico; se você é um homem ou uma mulher normal, não pode deixar de ter esse desejo. É perfeitamente correto que você dê sua máxima atenção à Ciência de Ficar Rico, pois é o mais nobre e necessário de todos os estudos. Se você negligenciar esse estudo, estará abandonando o seu dever consigo mesmo, com Deus e com a humanidade – pois você não pode prestar a Deus e à humanidade um melhor serviço do que aproveitar o máximo de si mesmo.

CAPÍTULO II

Existe uma ciência para ficar rico

Existe uma ciência para ficar rico, e é uma ciência exata, como a álgebra ou a aritmética. Existem certas leis que governam o processo de aquisição de riquezas; uma vez que essas leis sejam compreendidas e seguidas por qualquer pessoa, essa pessoa ficará comprovadamente rica.

A posse de dinheiro e de propriedades acontece como consequência de fazer as coisas de Modo Certo; aqueles que fazem as coisas desse Modo Certo, seja intencionalmente, seja por acaso, ficam ricos, enquanto aqueles que não fazem as coisas desse Modo Certo, não importa o quão duro trabalhem ou quão capazes sejam, permanecem pobres.

É uma lei natural que "causas semelhantes sempre produzem efeitos semelhantes"; portanto, qualquer homem ou mulher que aprenda a fazer as coisas desse Modo Certo infalivelmente ficará rico.

A veracidade dessa afirmação é demonstrada pelos seguintes fatos: enriquecer não é uma questão de ambiente, não é sobre as condições nas quais alguém vive, pois, se fosse, todas as pessoas, em certos bairros, se tornariam ricas; as pessoas de uma cidade seriam todas ricas, enquanto as de outras seriam todas pobres; ou os habitantes de um estado acumulariam riqueza, enquanto os de um estado vizinho ficariam na pobreza.

Ao contrário, em todos os lugares vemos ricos e pobres vivendo lado a lado, no mesmo ambiente, e, muitas vezes, engajados nas mesmas vocações. Quando dois homens estão na mesma localidade e no mesmo negócio, e um enriquece enquanto o outro permanece pobre, isso mostra que enriquecer não é, essencialmente, uma questão de ambiente. Alguns ambientes podem ser mais favoráveis que outros, mas, quando dois homens estão no mesmo negócio e na mesma vizinhança, e um fica rico enquanto o outro fracassa, isso indica que ficar rico é o resultado de fazer as coisas de um Modo Certo.

Além disso, a capacidade de fazer as coisas desse Modo Certo não se deve exclusivamente a ter talento, pois muitas pessoas com grande talento permanecem pobres, enquanto outras com pouquíssimo talento enriquecem.

Estudando as pessoas que ficaram ricas, descobrimos que elas são um grupo mediano em todos os aspectos, não tendo mais talentos e habilidades que outros homens. É evidente que elas não ficam ricas porque têm talentos e habilidades que outras não têm, ficam ricas porque fazem as coisas do Modo Certo.

Ficar rico não é o resultado de economizar ou "poupar"; muitas pessoas avarentas são pobres, ao passo que outras que gastam à toa muitas vezes ficam ricas.

Enriquecer também não se trata de fazer coisas que outras pessoas não conseguem fazer, pois dois homens no mesmo negócio costumam fazer quase exatamente as mesmas coisas, e um deles fica rico enquanto o outro permanece pobre ou vai à falência.

Em razão de todas essas coisas, devemos chegar à conclusão de que ficar rico é o resultado de fazer as coisas de um Modo Certo.

Se ficar rico é o resultado de fazer as coisas de um Modo Certo, e se causas semelhantes sempre produzem efeitos semelhantes, então qualquer homem ou mulher que pode fazer as coisas dessa maneira pode se tornar rico, e toda a questão é trazida para o domínio da ciência exata.

A questão que surge aqui é se esse Modo Certo não seria tão difícil que apenas alguns pudessem segui-lo. Como vimos, isso não pode ser verdade no que diz respeito à habilidade natural. Pessoas talentosas ficam ricas e as mais limitadas ficam ricas; pessoas intelectualmente brilhantes ficam ricas e pessoas menos inteligentes ficam ricas; pessoas fisicamente fortes ficam ricas e pessoas debilitadas e doentes ficam ricas.

Algum grau de habilidade para pensar e compreender é, obviamente, essencial; mas, no que diz respeito à habilidade natural, qualquer homem ou mulher que tenha bom senso suficiente para ler e compreender estas palavras pode, certamente, ficar rico.

Além disso, vimos que não é uma questão de ambiente. A localização é importante para algumas coisas – ninguém iria ao coração do Saara esperando fazer negócios de sucesso.

Enriquecer envolve a necessidade de lidar com as pessoas e de estar onde há pessoas com quem lidar; e, se essas pessoas estiverem inclinadas a negociar da maneira que você deseja, tanto melhor. No entanto, isso é o máximo que diz respeito ao ambiente.

Se alguém mais em sua cidade pode ficar rico, você também pode; e se alguém mais em seu estado pode ficar rico, você também pode.

Novamente, não é uma questão de escolher determinado negócio ou profissão. As pessoas enriquecem em todos os negócios e em todas as profissões enquanto seus vizinhos de porta com a mesma vocação permanecem na pobreza.

É verdade que você se sairá melhor em um negócio de que goste e que seja inato a você; e, se você tem certos talentos que são bem desenvolvidos, certamente se sairá melhor em um negócio que exija a prática deles.

Além disso, você se sairá melhor em um negócio adequado à sua localidade; uma sorveteria seria melhor em um clima quente do que na Groenlândia, e a pesca de salmão será mais bem-sucedida no noroeste dos Estados Unidos do que na região da Flórida, onde não há salmão.

No entanto, além dessas limitações gerais, ficar rico depende não de você se envolver em algum negócio específico, mas de aprender a fazer as coisas de um Modo Certo. Se agora você está em um negócio, e qualquer outra pessoa em sua localidade está enriquecendo no mesmo negócio, enquanto você não está enriquecendo, é porque você não está fazendo as coisas da mesma maneira que a outra pessoa está fazendo.

Ninguém está impedido de enriquecer por falta de capital. É verdade que, à medida que você obtém capital, o crescimento se torna mais fácil e rápido; mas quem tem capital já é rico e não precisa pensar em como se tornar rico. Não importa o quão desprovido de recursos financeiros você seja, se passar a fazer as coisas de Modo Certo, começará a ficar rico e a ter capital. A obtenção de capital é parte do processo de enriquecimento, e é uma parte do resultado que, invariavelmente, segue-se ao ato de fazer as coisas de Modo Certo.

Você pode ser o homem mais pobre do continente e estar profundamente endividado; pode não ter amigos, influência ou recursos; mas, se começar a fazer as coisas de Modo Certo, infalivelmente começará a ficar rico, pois causas semelhantes devem produzir efeitos semelhantes. Se você não tem capital, pode obter capital; se está no negócio errado, pode entrar no negócio certo; se estiver no lugar errado, pode ir para o lugar certo; e você pode fazer isso começando em seu negócio atual e em sua localização atual, fazendo as coisas de um Modo Certo que traz sucesso.

CAPÍTULO III

A oportunidade pode ser monopolizada?

Nenhum homem permanece pobre porque a oportunidade foi tirada dele, porque outras pessoas monopolizaram a riqueza e colocaram uma cerca ao redor dela. Você até pode ser impedido de se envolver em negócios em certos ramos, mas existem outros canais abertos. Provavelmente, seria difícil obter o controle de qualquer um dos grandes sistemas ferroviários; essa área está muito bem monopolizada. No entanto, o negócio das ferrovias eletrificadas ainda está engatinhando e oferece muito espaço para empreendimentos, e levará poucos anos até que o tráfego e o transporte aéreo se tornem uma grande indústria e em todos os seus ramos deem emprego a centenas de milhares, e talvez milhões, de pessoas. Por que não voltar a atenção para o desenvolvimento do transporte aéreo, em vez de competir com J. J. Hill e outros por uma chance no mundo do trem a vapor?

É bem verdade que, se você for um trabalhador a serviço da indústria do aço, terá poucas chances de se tornar o proprietário da fábrica em que trabalha; mas também é verdade que, se começar a agir de Modo Certo, logo poderá deixar o emprego na indústria do aço, comprar uma fazenda de quatro a dezesseis hectares e se envolver em um negócio como produtor de alimentos. Existem grandes oportunidades, no momento, para homens viverem em pequenos pedaços de terra e os cultivarem intensamente; esses homens por certo ficarão ricos. Você pode dizer que é impossível obter um pedaço de terra para si mesmo, mas vou provar que não é, e que você, certamente, pode conseguir uma fazenda se for trabalhar de Modo Certo.

Em diferentes épocas, a maré de oportunidades assume diferentes direções de acordo com as necessidades do todo e com o estágio particular de evolução social que foi alcançado. Atualmente, os Estados Unidos estão se voltando para a agricultura e as indústrias e profissões aliadas. Hoje as oportunidades estão abertas para o fazendeiro, em sua profissão, mais do que para o operário em sua profissão. As oportunidades estão mais abertas para o homem de negócios que fornece ao fazendeiro do que para aquele que fornece ao operário; e estão mais diante do profissional que serve o agricultor do que diante daquele que serve a classe trabalhadora.

Há muitas oportunidades para o homem que segue o fluxo da maré em vez de tentar nadar contra ela.

Portanto, os operários da fábrica, como indivíduos ou como um grupo, não são privados de oportunidades. Os trabalhadores não estão sendo "reprimidos" por seus patrões; eles não estão sendo "pulverizados" pelos grandes monopólios e pela dominação do capital. Como um grupo, eles estão onde estão porque não fazem as coisas de um Modo Certo. Se os trabalhadores dos Estados Unidos decidissem fazer diferente, poderiam seguir o exemplo de seus irmãos na Bélgica e em outros países e estabelecer grandes lojas de departamentos e indústrias cooperativas; poderiam eleger homens da própria classe para cargos e aprovar leis favorecendo o desenvolvimento de tais indústrias cooperativas; e, em poucos anos, poderiam, de modo pacífico, tomar a posse da área industrial.

A classe trabalhadora pode se tornar a classe superior sempre que começar a fazer as coisas de um Modo Certo; a lei da riqueza é a mesma para eles e para todas as outras pessoas. Isso eles devem aprender, e permanecerão onde estão enquanto continuarem a fazer o que fazem. O trabalhador como indivíduo, entretanto, não é reprimido pela ignorância ou preguiça mental do seu grupo; ele pode seguir a maré de oportunidades rumo à riqueza, e este livro lhe dirá como.

Ninguém é mantido na pobreza por falta da oferta de riquezas; há mais do que suficiente para todos. Um palácio tão grande quanto o Capitólio, em Washington, pode ser construído para cada família existente apenas com o material de construção dos Estados Unidos; e com cultivo intensivo, esse país produziria lã, algodão, linho e seda suficientes para vestir cada pessoa no mundo com mais elegância do que Salomão exibiu em toda a sua glória, com comida suficiente para alimentá-las com esplendor e abundância. O suprimento visível é praticamente inesgotável; e o suprimento invisível é, realmente, inesgotável.

Tudo o que você vê neste planeta é feito de uma substância original, de uma matéria-prima da qual todas as coisas procedem.

Novas formas estão surgindo constantemente, e as mais antigas estão se dissolvendo, mas todas são formas assumidas pela Coisa Única.

Não há limite para o suprimento de Coisas Amorfas, ou Substância Original. O universo é feito disso – mas nem tudo foi usado para criar o universo. Os espaços internos, através e entre as formas do universo visível são permeados e preenchidos com a Substância Original; com as Coisas Amorfas; com a matéria-prima de todas as coisas. Ainda poderia ser feito dez mil vezes mais do que foi feito, e, mesmo assim, nós não teríamos esgotado o suprimento de matéria-prima universal.

Nenhum homem, portanto, é pobre porque a natureza é pobre, ou porque não há o suficiente para todos.

A natureza é uma fonte inesgotável de riquezas; o suprimento nunca será escasso. A Substância Original está viva com energia criativa e está constantemente produzindo mais formas. Quando o suprimento de material de construção se esgotar, mais será produzido; quando o solo se exaurir de modo que os alimentos e materiais para o vestuário não possam ser produzidos a partir dele, ele será renovado ou mais solo será provido. Quando todo o ouro e a prata tiverem sido extraídos da terra, se o homem ainda estiver em um estágio de desenvolvimento social que necessite de ouro e prata, mais será produzido do amorfo. As Coisas Amorfas respondem às necessidades do homem, não o deixarão ficar sem as coisas boas.

Isso é verdade para o homem de modo coletivo; a raça como um todo é sempre abundantemente rica e, se os indivíduos são pobres, é porque eles não seguem o Modo Certo de fazer as coisas que torna o indivíduo rico.

As Coisas Amorfas são inteligentes, são coisas que pensam. Elas estão vivas e sempre são impulsionadas para mais vida.

É o impulso natural e inerente da vida buscar viver mais; é da natureza da inteligência ampliar a si mesma, e da natureza da consciência buscar ampliar seus limites e encontrar uma expressão mais plena. O universo das formas foi criado pela Substância Viva Amorfa, lançando a si mesmo na forma para se expressar mais plenamente.

O universo é uma grande Presença Viva, sempre se movendo por natureza em direção a mais vida e a uma ação mais plena.

A natureza é criada para o avanço da vida, sua motivação premente é a intensificação da vida. Por essa razão, tudo o que pode possivelmente servir à vida é provido de modo abundante; não pode haver escassez, a menos que Deus se contradiga e anule as próprias obras.

Você não permanece pobre por falta de suprimento de riquezas, isso é um fato que demonstrarei um pouco mais adiante. Até mesmo os recursos do Suprimento Amorfo estão sob o comando do homem ou da mulher que irão agir e pensar de um Modo Certo.

CAPÍTULO IV

O primeiro princípio da ciência para ficar rico

O pensamento é a única força que pode criar riquezas tangíveis a partir da Substância Amorfa. A matéria da qual todas as coisas são feitas é uma substância que pensa, e um pensamento sobre o tangível nessa substância produz a forma.

A Substância Original se move de acordo com os seus pensamentos; cada forma e processo que você vê na natureza são a expressão visível de um pensamento na Substância Original. Assim como as Coisas Amorfas pensam em uma forma, e a assumem, ao pensar em um movimento, elas o realizam. É assim que todas as coisas foram e são criadas. Vivemos em um mundo de pensamentos, que faz parte de um universo de pensamentos.

O pensamento de um universo em movimento estendeu-se por toda a Substância Amorfa, e as Coisas Pensantes, movendo-se de acordo com esse pensamento, assumiram a forma de sistemas de planetas e mantêm essa forma. A Substância do Pensamento assume a forma do seu pensamento e se move de acordo com o pensamento. Mantendo a ideia de um sistema circular de sóis e mundos, assume a forma desses corpos e os move enquanto pensa. Pensando na forma de um carvalho de crescimento lento, move-se de acordo com isso e produz a árvore, embora possam ser necessários séculos para fazer o trabalho. Ao criar, o Amorfo parece se mover de acordo com as linhas de movimento que estabeleceu; o pensamento sobre um carvalho não provoca a formação instantânea de uma árvore adulta, mas coloca em movimento as forças que produzirão a árvore ao longo de fases de crescimento já estabelecidas.

Todo o pensamento sobre uma forma, mantido na Substância do Pensamento, provoca a criação da forma, mas sempre, ou pelo menos geralmente, ao longo de fases de crescimento e ação já estabelecidas.

O pensamento sobre certo tipo de construção de casa, se fosse impresso na Substância Amorfa, não poderia provocar a formação instantânea da casa, mas causaria o direcionamento das energias criativas que já atuam no mercado por canais que resultariam na rápida construção da casa. E, se não houvesse canais através dos quais a energia criativa pudesse trabalhar, a casa seria formada diretamente a partir do conteúdo primordial, sem esperar pelos processos lentos do mundo orgânico e inorgânico.

Nenhum pensamento sobre a forma pode ser impresso na Substância Original sem causar a criação da forma.

O homem é um centro de pensamentos e pode originar o pensamento. Todas as formas que o homem molda com as mãos devem primeiro existir em seus pensamentos; ele não pode moldar uma coisa até que tenha pensado sobre ela.

E até agora o homem tem limitado seus esforços inteiramente ao trabalho de suas mãos; ele tem aplicado o trabalho manual ao mundo das formas, buscando mudar ou modificar aquelas já existentes. Ele nunca pensou em tentar provocar a criação de novas formas, imprimindo seus pensamentos sobre a Substância Amorfa.

Quando o homem tem uma forma-pensamento, ele obtém a matéria-prima das formas da natureza e cria uma imagem da forma que está em sua mente. Ele, até agora, fez pouco ou nenhum esforço para cooperar com a Inteligência Amorfa; para trabalhar "com o Pai". Ele não percebeu que pode "fazer o que vê o Pai fazendo". O homem remodela e modifica as formas existentes pelo trabalho manual; ele não deu atenção à questão de poder ou não produzir coisas a partir da Substância Amorfa, comunicando seus pensamentos a ela. Nós nos propomos a provar que ele pode fazer isso, que qualquer homem ou mulher pode fazê-lo, e nos propomos a mostrar como. Como primeiro passo, devemos estabelecer três proposições fundamentais.

Primeiro, afirmamos que existe uma matéria-prima, ou conteúdo, sem forma original, da qual todas as coisas são feitas. Aparentemente, todos os muitos elementos são apenas apresentações diferentes de um mesmo elemento; todas as muitas formas encontradas na natureza orgânica e inorgânica são apenas formas diferentes, feitas da mesma matéria. E essa matéria é matéria do pensamento; um pensamento nela contido produz a forma do pensamento. O pensamento, inserido em substâncias do pensamento, produz formas. O homem é um centro de pensamentos, capaz de um pensamento original; se o homem pode comunicar seu pensamento à substância original do pensamento, ele pode provocar a criação, ou a formação, daquilo que pensa. Resumindo: existe uma matéria do pensamento da qual todas as coisas são feitas e que, em seu estado original, permeia, penetra e preenche os interespaços do universo.

Um pensamento, nesse conteúdo, produz a coisa que é imaginada pelo pensamento.

O homem pode criar coisas em seu pensamento e, ao imprimir seu pensamento na Substância Amorfa, pode fazer com que essas coisas nas quais ele pensa sejam criadas.

Talvez você esteja se perguntando se posso provar essas afirmações; e, sem entrar em detalhes, respondo que posso prová-las, tanto pela lógica quanto pela experiência.

Raciocinando a partir dos fenômenos da forma e do pensamento, chego a uma substância do pensamento original; e raciocinando a partir dessa substância do pensamento, chego ao poder do homem de provocar a formação daquilo que ele pensa.

E, por experiência, acho o raciocínio verdadeiro; e essa é a minha prova mais forte.

Se uma pessoa que lê este livro enriquece por ter feito o que ele lhe diz para fazer, isso é uma evidência que apoia a minha afirmação; mas, se todas as pessoas que fazem o que este livro diz para fazer ficarem ricas, essa é uma prova positiva até que alguém passe pelo mesmo processo e fracasse. A teoria é verdadeira até que o processo falhe; e esse processo não falhará, pois todas as pessoas que fizerem exatamente o que este livro lhes diz para fazer ficarão ricas.

Eu disse que os homens enriquecem fazendo as coisas de um Modo Certo; e para fazer isso os homens devem se tornar capazes de pensar de um Modo Certo.

A maneira de um homem fazer as coisas é o resultado direto da maneira como ele pensa sobre as coisas.

Para fazer as coisas da maneira que deseja, você terá que adquirir a capacidade de pensar da maneira que deseja; esse é o primeiro passo para ficar rico.

Pensar o que você quer pensar é pensar a VERDADE, independentemente das aparências.

Todo homem tem o poder natural e inerente de pensar o que quiser, mas isso requer muito mais esforço do que pensar os pensamentos que são sugeridos pelas aparências. Pensar de acordo com as aparências é fácil; pensar a verdade, independentemente das aparências, é trabalhoso e requer o dispêndio de mais energia do que em qualquer outro trabalho que o homem seja chamado a realizar.

Não há nenhum outro trabalho do qual a maioria das pessoas recue como recua do pensamento sustentado e consecutivo; é o trabalho mais difícil do mundo. Isso é especialmente inconteste quando a verdade é contrária às aparências. Cada aparência no mundo visível tende a produzir uma forma correspondente na mente que a observa, e isso só pode ser evitado mantendo o pensamento da VERDADE.

Pensar sobre o surgimento de uma doença produzirá a forma de uma doença em sua própria mente e, em última instância, em seu corpo, a menos que você mantenha o pensamento da verdade, que é o que diz que não existe doença, que ela é apenas uma aparência, uma ilusão, e a realidade é a saúde.

Cogitar o aparecimento da pobreza produzirá formas correspondentes em sua própria mente, a menos que você sustente a verdade de que não há pobreza, de que só existe abundância.

Pensar na saúde quando estiver cercado de manifestações de doença, ou pensar em riquezas quando em meio ao surgimento de pobreza, requer poder, energia; mas aquele que adquire esse poder torna-se um *MASTERMIND*, uma MENTE SUPERIOR. Pode conquistar o próprio destino; pode ter o que quiser.

Esse poder só pode ser adquirido ao se apoderar do fato básico que está por trás de todas as aparências, e esse fato é que existe uma Substância do Pensamento, uma matéria-prima da qual e pela qual todas as coisas são feitas.

Então devemos compreender a verdade de que todo pensamento mantido nessa substância se torna uma forma, e que o homem pode imprimir seus pensamentos nela a ponto de fazer com que tomem forma e se tornem coisas visíveis.

Quando percebemos isso, perdemos todos os medos e não restam dúvidas, pois sabemos que podemos criar o que queremos criar; podemos conseguir o que queremos e podemos nos tornar o que queremos ser. Como um primeiro passo para ficar rico, você deve acreditar nas três afirmações fundamentais apresentadas anteriormente neste capítulo; e, para enfatizá-las, eu as repito aqui: existe uma matéria do pensamento da qual todas as coisas são feitas e que, em seu estado original, permeia, penetra e preenche os interespaços do universo.

Um pensamento, nessa substância, produz a coisa que é imaginada pelo pensamento.

O homem pode criar coisas em seu pensamento e, ao imprimi-lo na Substância Amorfa, pode fazer com que essas coisas nas quais ele pensa sejam criadas.

Você deve deixar de lado todos os outros conceitos do universo diferentes do monístico, e deve insistir nisso até que esteja fixo em sua mente e se torne o seu pensamento habitual. Leia essas afirmações repetidas vezes; fixe cada palavra em sua memória e medite sobre elas até que você acredite firmemente no que elas dizem. Se uma dúvida vier até você, descarte-a como a um pecado. Não dê ouvidos a argumentos contra essas ideias; não vá a igrejas ou palestras onde um conceito contrário seja ensinado ou pregado. Não leia revistas ou livros que ensinem uma ideia diferente; se você ficar confuso sobre aquilo em que acredita, todos os seus esforços serão em vão.

Não pergunte por que essas coisas são verdadeiras, nem especule sobre como elas podem ser verdadeiras; simplesmente confie nelas.

A ciência de ficar rico começa com a aceitação absoluta dessa crença.

CAPÍTULO V

Progredindo na vida

Você deve se livrar de qualquer vestígio da velha crença de que existe uma Divindade cuja vontade é que você seja pobre, ou cujos propósitos possam ser servidos mantendo-o na pobreza.

A Substância Inteligente que é TUDO, e está em tudo, e que vive em Tudo e que vive em você, é uma Substância Viva consciente. Sendo uma substância viva consciente, ela deve ter o desejo natural e inerente de cada inteligência viva de melhorar a vida. Todo ser vivo deve buscar continuamente o engrandecimento de sua vida, porque a vida, pelo simples fato de ser vivida, deve engrandecer a si mesma.

Uma semente lançada ao solo entra em atividade e, no ato de viver, produz mais cem sementes; a vida, ao ser vivida, multiplica-se. Ela está sempre Criando Mais; ela deve fazer isso se quiser continuar a existir.

A inteligência está sob a mesma necessidade de melhoria contínua. Cada pensamento que temos torna necessário que tenhamos outros pensamentos; a consciência está continuamente se expandindo. Cada coisa que aprendemos nos leva ao aprendizado de outra coisa; o conhecimento está em melhoria contínua. Cada talento que desenvolvemos traz à mente o desejo de desenvolver outro talento; estamos sujeitos ao impulso da vida, em busca de expressão, que sempre nos leva a saber mais, a fazer mais e a ser mais.

Para saber mais, fazer mais e ser mais, devemos ter mais; devemos ter coisas para usar, pois aprendemos, realizamos e nos tornamos apenas usando coisas. Devemos enriquecer para que possamos viver mais.

O desejo de riquezas é simplesmente a expressão da capacidade de ter uma vida mais vasta em busca de realização; todo desejo é o esforço de uma possibilidade não revelada de entrar em ação. É o poder que procura manifestar o que causa o desejo. O que faz você querer mais dinheiro é o mesmo que faz uma planta crescer; é a Vida, buscando uma expressão mais plena.

A Substância Viva Original deve estar sujeita a essa lei inerente a toda vida; é permeada pelo desejo de viver mais; por isso é tão necessário criar coisas.

A Substância Única deseja viver mais em você; portanto, ela deseja que você tenha todas as coisas que possa usar.

É o desejo de Deus que você fique rico. Ele quer que você fique rico porque pode se expressar melhor por meio de você se tiver muitas coisas disponíveis para expressá-lo. Ele pode viver mais em você se você tiver controle ilimitado dos recursos para viver, dos meios de subsistência.

O universo deseja que você tenha todas as coisas que quer ter.

A natureza é generosa com os seus planos.

Todas as coisas estão naturalmente disponíveis para você.

Decrete que isso é verdade.

É essencial, entretanto, que o seu propósito se harmonize com o propósito que está em Tudo.

Você deve desejar a vida real, não o mero prazer ou as satisfações dos sentidos. A vida é o desempenho de funções, e o indivíduo realmente vive apenas quando desempenha todas as funções, físicas, mentais e espirituais, de que é capaz, sem excesso em nenhuma.

Você não quer ficar rico para viver como um bruto desprezível, apenas para a satisfação dos desejos primitivos; isso não é vida. No entanto, o desempenho de todas as funções físicas faz parte da vida, e ninguém vive completamente se negar aos impulsos do corpo uma expressão normal e saudável.

Você não quer ficar rico apenas para desfrutar os prazeres intelectuais, para obter conhecimento, para satisfazer a ambição, para ofuscar os outros, para ser famoso. Tudo isso é uma parte legítima da vida, mas o homem que vive somente para os prazeres do intelecto terá apenas uma vida parcial e nunca ficará satisfeito com a sua sorte.

Você não quer ficar rico apenas para o bem dos outros, perder-se pela salvação da humanidade, experimentar as alegrias da filantropia e do sacrifício. As alegrias do espírito são apenas uma parte da vida, e elas não são melhores ou mais nobres do que qualquer outra.

Você quer ficar rico para poder comer, beber e se divertir quando chegar a hora de fazer essas coisas; a fim de que você possa se cercar de coisas bonitas, ver terras distantes, alimentar a mente e desenvolver o intelecto; para que possa amar as outras pessoas e fazer coisas boas, além de ser capaz de desempenhar um bom papel em ajudar o mundo a encontrar a verdade.

No entanto, lembre-se de que o altruísmo extremo não é melhor nem mais nobre que o egoísmo extremo; ambos são equivocados.

Livre-se da ideia de que Deus deseja que você se sacrifique pelos outros e de que você pode garantir os favores deles ao fazer isso; Deus não exige nada desse tipo.

O que Ele deseja é que você tire o máximo proveito de si mesmo, para si mesmo e para os outros, e você pode ajudar mais os outros aproveitando o máximo de si mesmo do que de qualquer outra forma.

Você pode tirar o máximo proveito de si mesmo apenas ficando rico; portanto, é certo e louvável que deve dar prioridade aos seus melhores pensamentos para o trabalho de adquirir riqueza.

Lembre-se, entretanto, de que o desejo da Substância Original é para todos, e os seus movimentos devem ser por melhoria de vida para todos; não podem ser pela piora da vida de ninguém, porque ela está igualmente em todos, buscando por riquezas e mais vida.

A Substância Inteligente fará coisas para você, mas não irá tirar coisas de outras pessoas para dá-las a você.

Você deve se livrar do pensamento de competição. Deve criar, não competir pelo que já foi criado.

Você não precisa tirar nada de ninguém.

Você não tem que conduzir barganhas acirradas.

Você não tem que trapacear ou tirar vantagem. Não precisa deixar que nenhum homem trabalhe para você por menos do que ele merece.

Você não precisa cobiçar a propriedade de outras pessoas, ou olhar para elas com olhos invejosos; nenhum homem tem algo que você não possa ter, e isso sem tirar dele o que ele tem.

Você deve se tornar um criador, não um competidor; você vai conseguir o que quer, mas de uma maneira que, quando conseguir, todos os outros homens terão mais do que agora.

Estou ciente de que há homens que obtêm grande quantidade de dinheiro procedendo em oposição direta às afirmações do parágrafo anterior, e posso acrescentar uma breve explicação aqui. Homens do tipo plutocrático, que se tornam muito ricos, às vezes se tornam assim puramente por sua extraordinária habilidade no plano da competição; e, às vezes, eles se relacionam de modo inconsciente com a Substância do Pensamento em seus grandes propósitos e movimentos para a edificação geral, por meio da evolução industrial. Rockefeller, Carnegie, Morgan et al. foram os agentes inconscientes do Supremo no trabalho necessário de sistematizar e organizar a indústria produtiva; e, no final, o trabalho deles contribuirá imensamente para melhorar a vida de todos. O tempo deles está quase acabando; eles organizaram a produção e logo serão sucedidos pelos agentes da multidão, que organizarão a máquina de distribuição.

Os multimilionários são como os répteis monstruosos das eras pré-históricas; eles desempenham um papel necessário no processo evolutivo, mas o mesmo poder que os produziu irá dispor deles. E é bom ter em mente que eles nunca foram realmente ricos; um registro da vida privada da maioria dessa classe mostrará que eles realmente foram os mais abjetos e miseráveis dos pobres.

As riquezas obtidas no plano competitivo nunca serão satisfatórias e permanentes; elas são suas hoje e serão de outros amanhã. Lembre-se de que, se quiser ficar rico de uma maneira comprovada, científica e certa, você deve sair inteiramente do pensamento competitivo. Nunca deve pensar, nem por um momento, que os recursos são limitados. Assim que começar a pensar que todo o dinheiro está sendo "monopolizado" e controlado por banqueiros e outras pessoas, e que você deve se esforçar a fim de criar regras para interromper esse processo, e assim por diante, nesse momento você cai na mente competitiva – e o seu poder de provocar a criação desaparece por enquanto. E o que é pior: você provavelmente interromperá os movimentos criativos que já instituiu.

SAIBA que existem incontáveis milhões de dólares em ouro nas montanhas desta Terra ainda não trazidos à luz, e saiba que, se não houvesse, mais seria criado a partir da Substância do Pensamento para suprir as suas necessidades.

SAIBA que o dinheiro de que você precisa virá, mesmo que seja necessário que mil homens sejam conduzidos à descoberta de novas minas de ouro amanhã.

Nunca olhe para os recursos visíveis; olhe sempre para as riquezas ilimitadas da Substância Amorfa, e SAIBA que elas estão chegando até você tão rápido quanto você pode recebê-las e usá-las. Ninguém, ao "monopolizar" o recurso visível, pode impedi-lo de obter o que é seu.

Portanto, nunca se permita pensar, nem por um instante, que todos os melhores lugares para construção serão ocupados antes de você se preparar para construir a sua casa, a menos que você se apresse. Nunca se preocupe com os monopólios e conluios, e nunca fique ansioso por medo de que eles logo venham a possuir toda a Terra. Nunca tenha medo de perder o que você deseja porque alguma outra pessoa "chegou primeiro". Isso não pode acontecer, você não está procurando por nada que já seja de outra pessoa; você está fazendo acontecer o que deseja que seja criado a partir da Substância Amorfa, e os recursos são ilimitados. Atenha-se às afirmações: existe uma matéria do pensamento da qual todas as coisas são feitas e que, em seu estado original, permeia, penetra e preenche os interespaços do universo.

Um pensamento, nessa substância, produz a coisa que é formada pelo pensamento.

O homem pode criar coisas em seu pensamento e, ao imprimir o seu pensamento na Substância Amorfa, pode fazer com que essas coisas nas quais pensa sejam criadas.

CAPÍTULO VI

Como a riqueza vem até você

Quando eu disse que você não precisa fazer barganhas acirradas, não quis dizer que você não tem que fazer barganhas, ou que você está acima da necessidade de ter quaisquer interações comerciais ou de interesses com os seus semelhantes. Quero dizer que você não precisará lidar com eles de maneira injusta; não precisa obter algo em troca de nada, mas pode dar a cada um mais do que recebe deles.

Você não pode dar a cada homem um valor de mercado além do que você recebe dele, mas pode dar a ele muito mais em valor de uso do que em dinheiro pelo que receber dele. O papel, a tinta e outros materiais deste livro podem não valer o dinheiro que você pagou por ele, mas, se as ideias sugeridas por este livro lhe renderem milhares de dólares, você não foi prejudicado por aqueles que o venderam; eles deram a você um grande valor de uso por um pequeno valor em dinheiro.

Vamos supor que eu tenha um quadro de um grande artista, um dos mestres da pintura, que, em qualquer comunidade civilizada, vale milhões de dólares. Eu o levo até Baffin Bay e, por "habilidades de vendedor", induzo um esquimó a dar um pacote de peles no valor de US$ 500 por ele. Realmente o prejudiquei, pois o quadro não terá nenhuma utilidade prática para ele; o quadro não tem valor de uso para o esquimó, não vai acrescentar nada à vida dele.

No entanto, suponha que eu dê a ele uma arma no valor de US$ 50 em troca de suas peles; então ele fez um bom negócio. A arma tem utilidade para ele; ela lhe proporcionará muito mais peles e mais alimento, melhorará a vida dele em todos os sentidos, ela o tornará rico.

Quando você passa do plano competitivo para o criativo, pode observar suas transações comerciais com muito rigor, e, se estiver vendendo a qualquer homem alguma coisa que não acrescente nada à vida dele além do que ele lhe dá em troca, você pode se dar ao luxo de parar com isso. Você não precisa vencer ninguém nos negócios. E, se estiver em um negócio que prejudica as pessoas, saia dele imediatamente.

Dê a cada homem mais em valor de uso do que o valor monetário que você tira dele; então, você estará contribuindo com a vida do mundo a cada transação comercial.

Se você tem pessoas trabalhando para você, deve tirar delas mais valor em dinheiro do que o que você paga a elas em salário; mas você pode organizar o seu negócio de forma que ele seja preenchido com o princípio da promoção, e para que cada funcionário possa avançar um pouco a cada dia, se assim o desejar.

Você pode fazer com que sua empresa faça por seus funcionários o que este livro está fazendo por você. Pode conduzir seu negócio de forma que se torne uma espécie de escada pela qual todo empregado que se der ao trabalho possa por si só alcançar a riqueza; e, se ele tiver oportunidade e não o fizer, não é sua culpa.

E finalmente, porque você deve provocar a criação de suas riquezas a partir da Substância Amorfa que permeia todo o seu ambiente, não quer dizer que elas devem tomar forma a partir da atmosfera e vir a existir diante de seus olhos.

Se você quer uma máquina de costura, por exemplo, não estou querendo dizer que deve imprimir o pensamento de uma máquina de costura na Substância do Pensamento até que a máquina seja materializada em suas mãos, na sala onde você está sentado, ou em outro lugar. No entanto, se quiser uma máquina de costura, mantenha a imagem mental dela com a certeza mais positiva de que ela está sendo criada ou está a caminho até você. Depois de criar o pensamento, tenha a mais absoluta e inquestionável certeza de que a máquina de costura está chegando; nunca pense ou fale sobre isso de qualquer outra forma que não seja com a certeza de que ela vai chegar. Reivindique-a como se ela já fosse sua.

Ela será trazida até você pelo poder da Inteligência Suprema que age sobre as mentes dos homens. Se você mora no Maine, pode ser que um homem seja trazido do Texas ou do Japão para se envolver em alguma transação que resulte em você conseguir o que deseja.

Nesse caso, toda a questão envolvida será tão vantajosa para aquele homem quanto para você.

Não se esqueça, nem por um momento, de que a Substância do Pensamento está em tudo, em todos, comunicando-se com todos, e pode influenciar todos. O desejo da Substância do Pensamento, de uma vida mais plena e melhor, tem provocado a criação de todas as máquinas de costura já produzidas e pode provocar a criação de outros milhões a mais, e irá, sempre que os homens a colocarem em movimento por meio do desejo e da fé, e agirem de um Modo Certo.

Você certamente pode ter uma máquina de costura em casa; e é também certo que pode ter qualquer outra coisa, ou coisas, que queira e que usará para a melhoria da própria vida e da vida de outras pessoas.

Você não precisa hesitar em pedir de modo grandioso; "a vosso Pai agradou dar-vos o reino", disse Jesus.

A Substância Original deseja vivenciar tudo o que é possível em você, e deseja que você tenha tudo o que puder ou que usará para viver a vida mais abundante.

Se você fixar na mente o fato de que o desejo que sente pela posse de riquezas é um desejo de onipotência por uma expressão mais completa, a sua fé se tornará invencível.

Certa vez vi um garotinho sentado ao piano, tentando, em vão, trazer harmonia às teclas; e vi que ele estava entristecido e perturbado por sua incapacidade de tocar música de verdade. Perguntei-lhe a causa do aborrecimento, e ele respondeu: "Posso sentir a música em mim, mas não consigo fazer minhas mãos executarem os movimentos certos". A música nele era a ÂNSIA da Substância Original, contendo todas as possibilidades de toda a vida; tudo o que existe na música buscava expressão por meio da criança.

Deus, a Substância Única, está tentando viver, realizar e desfrutar as coisas por meio da humanidade. Ele está dizendo: "Quero mãos para construir estruturas maravilhosas, para tocar harmonias divinas, para pintar quadros gloriosos; quero pés para realizar minhas viagens, olhos para ver minhas belezas, línguas para contar verdades poderosas e cantar canções maravilhosas", e assim por diante.

Tudo o que existe de possibilidade está buscando expressão por meio dos homens. Deus quer que aqueles que podem tocar música tenham pianos e todos os outros instrumentos, e tenham os recursos para desenvolver seus talentos ao máximo; Ele quer que aqueles que podem apreciar a beleza possam se cercar de coisas belas; Ele deseja que aqueles que podem discernir a verdade tenham todas as oportunidades de viajar e observar; Ele deseja que aqueles que apreciam roupas se vistam com elegância, e que aqueles que apreciam boa comida sejam alimentados prazerosamente.

Ele deseja todas essas coisas porque é Ele mesmo quem as desfruta e as aprecia; é Deus quem quer brincar, cantar, desfrutar a beleza, proclamar a verdade, usar roupas finas e comer boas comidas.

"É Deus que opera em vós tanto o querer quanto o realizar", disse Paulo.

O desejo que você sente por riquezas é o Infinito procurando se expressar em você como Ele procurou encontrar expressão no menino ao piano.

Portanto, você não precisa hesitar em pedir em abundância.

A sua parte é manter um foco e expressar os desejos de Deus.

Esse é um ponto difícil para a maioria das pessoas; elas retêm algumas coisas da velha crença de que a pobreza e o sacrifício são agradáveis aos olhos de Deus. Elas consideram a pobreza uma parte do planejado, uma necessidade da natureza. Elas têm a ideia de que Deus terminou a Sua obra e fez tudo o que podia fazer, e que a maioria dos homens deve continuar pobre porque não há o suficiente para todos. Elas se apegam tanto a esse pensamento errôneo que se sentem envergonhadas de desejar riquezas; tentam não querer mais do que uma vida muito modesta, apenas com o suficiente para deixá-las razoavelmente confortáveis.

Lembro-me agora do caso de um aluno a quem foi dito que ele deveria ter em mente uma imagem clara das coisas que desejava, de modo que o pensamento criativo delas pudesse ser impresso na Substância Amorfa. Ele era um homem muito pobre, morava em uma casa alugada e tinha apenas o que ganhava no dia a dia; e não conseguia entender o fato de que toda a riqueza era sua. Então, depois de refletir sobre o assunto, ele decidiu que seria razoável pedir um tapete novo para o chão do seu melhor quarto e um fogão a carvão para aquecer a casa durante o tempo frio. Seguindo as instruções dadas neste livro, ele conseguiu essas coisas em poucos meses, e então se deu conta de que não havia pedido o suficiente. Ele examinou a casa em que morava e planejou todas as melhorias que gostaria de fazer nela; mentalmente, adicionou uma janela aqui, um quarto ali, até que estivesse completa em sua mente como seria a sua casa ideal; e, então, ele planejou seus móveis.

Mantendo toda a imagem em mente, ele começou a viver de Modo Certo e a se mover em direção ao que desejava; e ele é o dono dessa casa agora, e está reconstruindo-a segundo a forma de sua imagem mental. E agora, com uma fé ainda maior, ele vai conseguir coisas maiores. Foi assim com ele de acordo com a sua fé, e é assim com você e com todos nós.

CAPÍTULO VII

A gratidão

O que foi ilustrado no último capítulo mostrou ao leitor o fato de que o primeiro passo para ficar rico é transmitir a ideia de seus desejos à Substância Amorfa.

Isso é verdadeiro, e você verá que para fazê-lo é necessário se relacionar com a Inteligência Amorfa de maneira harmoniosa.

Assegurar essa relação harmoniosa é uma questão de importância tão primária e vital que darei algum espaço para discutir sobre ela aqui, e lhe darei instruções que, se você seguir, certamente o conduzirão a uma perfeita unidade da mente com Deus.

Todo o processo de ajuste mental e reparação pode ser resumido em uma palavra: gratidão.

Primeiro, você acredita que existe uma Substância Inteligente, da qual todas as coisas procedem; segundo, você acredita que essa substância lhe dá tudo o que você deseja;

e, terceiro, você se relaciona com ela por um sentimento de intensa e profunda gratidão.

Muitas pessoas que organizam suas vidas de modo correto em todas as direções são mantidas na pobreza por falta de gratidão. Tendo recebido um presente de Deus, elas cortaram os fios que as conectavam a Ele, deixando de praticar o reconhecimento.

É fácil entender que, quanto mais perto estivermos da fonte de riqueza, mais riqueza receberemos, e também é fácil compreender que a alma que é sempre grata vive em contato mais íntimo com Deus do que aquela que nunca O olha em agradecimento.

Quanto mais gratos somos ao nos concentrarmos no Supremo quando as coisas boas vêm até nós, mais coisas boas receberemos e com mais rapidez elas virão, e a razão é simplesmente que a atitude mental de gratidão atrai a mente para um contato mais próximo com a fonte de onde vêm as bênçãos.

Se, para você, esse pensamento de que a gratidão traz toda a sua mente para uma estreita harmonia com as energias criativas do universo é uma novidade, considere-o com atenção e você vai ver que isso é verdade. As coisas boas que já possui vieram até você por meio da obediência a certas leis. A gratidão guiará sua mente ao longo dos caminhos pelos quais as coisas acontecem, manterá você em estreita harmonia com o pensamento criativo e o impedirá de cair no pensamento competitivo.

A gratidão, por si só, pode mantê-lo olhando para o Todo e impedi-lo de cair no erro de pensar que os recursos são limitados – e pensar assim seria fatal para as suas esperanças.

Existe uma Lei da Gratidão, e é absolutamente necessário que você observe essa lei se quiser conseguir os resultados que busca.

A Lei da Gratidão é o princípio natural de que a ação e a reação são sempre iguais, e em direções opostas.

A generosidade da sua mente em louvor grato ao Supremo é uma liberação ou uma dissipação de energia; não pode deixar de alcançar aquele a quem se dirige, e a reação é um movimento instantâneo em sua direção.

"Aproxime-se de Deus, e Ele se aproximará de você." Essa é uma afirmação de verdade psicológica.

E, se a sua gratidão for forte e contínua, a reação na Substância Amorfa será forte e contínua; o movimento das coisas que você deseja estará sempre em sua direção. Observe a atitude de gratidão que Jesus assumiu, como Ele sempre parece estar dizendo: "Agradeço-Te, Pai, por me ouvires". Você não pode exercer muito poder sem gratidão, pois é a gratidão que o mantém conectado com o Poder.

No entanto, o valor da gratidão não consiste apenas em obter mais bênçãos no futuro. Sem a gratidão, você não consegue mais evitar pensamentos de insatisfação com relação às coisas como elas são.

No momento em que você permite que sua mente seja preenchida com insatisfação sobre as coisas como elas são, começa a perder terreno. Você fixa a atenção no comum, no ordinário, no pobre e no ignorado e mesquinho, e a sua mente assume a forma dessas coisas. Então, você transmitirá essas formas ou imagens mentais ao Amorfo, e o comum, o pobre, o ignorado e o mesquinho virão até você.

Permitir que a sua mente se concentre no que é inferior é tornar-se inferior e cercar-se de coisas inferiores.

Por outro lado, focar a atenção no melhor é cercar-se do melhor e se tornar o melhor.

O Poder Criativo dentro de nós nos torna a imagem daquilo a que damos nossa atenção.

Somos Substância do Pensamento, que sempre assume a forma daquilo sobre o que pensa.

A mente grata está constantemente focada no melhor; portanto, tende a se tornar o melhor, assume a forma ou o caráter do melhor, e receberá o melhor.

Além disso, a fé nasce da gratidão. A mente grata espera continuamente por coisas boas, e a expectativa se torna fé. A reação de gratidão sobre a própria mente produz fé, e cada onda de agradecimento e gratidão aumenta a fé. Aquele que não tem sentimento de gratidão não pode manter por muito tempo uma fé viva, e, sem uma fé viva, você não pode ficar rico pelo método criativo, como veremos nos próximos capítulos.

É necessário, então, cultivar o hábito de ser grato por tudo de bom que vem até você – e agradecer continuamente.

E, pelo fato de todas as coisas terem contribuído para o seu progresso, você deve incluir todas as coisas em sua gratidão.

Não perca tempo pensando ou falando sobre falhas ou ações erradas de plutocratas ou magnatas de monopólios. A organização deles no mundo tem criado a sua oportunidade; tudo o que você consegue realmente vem por causa deles.

Não se enfureça contra políticos corruptos; se não fosse pelos políticos, cairíamos na anarquia, e as suas oportunidades seriam muito reduzidas.

Deus tem trabalhado muito tempo e com muita paciência para nos levar até onde estamos na indústria e no governo, e Ele está dando continuidade ao Seu trabalho. Não há a menor dúvida de que Ele acabará com os plutocratas, magnatas de monopólios, capitães da indústria e políticos assim que eles puderem ser dispensados; mas, enquanto isso, eis que são todos muito bons. Lembre-se de que todos eles estão ajudando a organizar as "linhas de transmissão" pelas quais suas riquezas chegarão até você, e seja grato a todos eles. Isso o levará a relações harmoniosas com todas as coisas boas que existem em tudo, e o que há de bom em tudo se moverá em sua direção.

CAPÍTULO VIII

Pensando de modo certo

Volte ao Capítulo VI, leia novamente a história do homem que criou uma imagem mental da própria casa e você terá uma boa ideia do passo inicial para ficar rico. Você deve criar uma imagem mental clara e precisa do que deseja, não pode transmitir uma ideia a menos que você mesmo a tenha.

Você deve tê-la antes de poder transmiti-la. Muitas pessoas deixam de imprimir a Substância do Pensamento porque elas têm apenas um conceito vago e nebuloso das coisas que desejam fazer, ter ou se tornar.

Não é suficiente que você tenha um desejo vago de riqueza "para fazer o bem com ela"; todo mundo tem esse desejo.

Não basta ter vontade de viajar, ver coisas, viver mais etc. Todo mundo também tem esses desejos. Se você fosse enviar um telegrama a um amigo, não enviaria as letras do alfabeto em ordem e deixaria que ele mesmo construísse a mensagem, nem pegaria palavras aleatoriamente do dicionário. Você enviaria uma frase coerente, que significasse alguma coisa. Ao tentar imprimir seus desejos na Substância, lembre-se de que isso deve ser feito por meio de uma afirmação coerente, você deve saber o que quer, e deve ser preciso.

Você nunca poderá ficar rico ou colocar o poder criativo em ação enviando anseios simplistas e desejos vagos.

Revise os seus desejos assim como o homem que descrevi fez ao examinar sua casa, veja exatamente o que você deseja e tenha uma imagem mental clara da forma como quer que eles pareçam quando você os conseguir.

Você deve ter em seus pensamentos essa imagem mental clara, de modo contínuo, como o marinheiro tem em mente o porto para o qual ele está navegando; você deve ter o rosto voltado para essa imagem o tempo todo. Você não deve perdê-la de vista mais do que o timoneiro perde de vista a bússola.

Não é necessário fazer exercícios de concentração nem reservar momentos especiais para oração e afirmações, nem entrar em "estado de silêncio", ou fazer acrobacias ocultas de qualquer outro tipo. Essas são coisas bem conhecidas, mas tudo o que você precisa é saber o que quer e desejá-lo o suficiente para que isso fique em seus pensamentos.

Passe o máximo que puder do seu tempo de lazer contemplando sua imagem mental, mas ninguém precisa fazer exercícios para concentrar a mente em algo que realmente deseja; são as coisas com as quais você realmente não se importa que requerem esforço para que você mantenha o seu foco nelas.

E a menos que você, realmente, queira ficar rico, de modo que o seu desejo seja forte o suficiente para manter seus pensamentos voltados ao propósito, como o polo magnético mantém a agulha da bússola, dificilmente valerá a pena tentar seguir as instruções contidas neste livro.

Os métodos aqui apresentados são para as pessoas cujo desejo por riquezas é forte o suficiente para superar a preguiça mental e o apego ao conforto, e para fazê-los funcionar.

Quanto mais clara e definida você tiver a sua imagem mental, e quanto mais você se debruçar sobre ela, revelando todos os seus detalhes prazerosos, mais forte será o seu desejo; e quanto mais forte for o seu desejo, mais fácil será manter a mente focada na imagem mental do que você deseja.

No entanto, algo mais é necessário do que apenas visualizar a imagem com clareza. Se visualizar for tudo o que que você faz, você é apenas um sonhador e terá pouco, ou nenhum, poder de realização.

Por trás da sua visão clara deve estar o propósito de realizá-la, para trazê-la à tona em uma expressão tangível.

E por trás desse propósito deve haver FÉ inabalável e invencível de que o que você visualiza já é seu, que está "próximo", e você só tem que tomar posse dele.

Viva na nova casa mentalmente até que ela tome forma física, tangível, ao seu redor. No reino mental, entre imediatamente em pleno gozo das coisas que você deseja.

"Tudo o que pedirdes em oração, crede que o recebereis, e tê-lo-eis", disse Jesus.

Veja as coisas que você deseja como se elas estivessem ao seu redor o tempo todo, veja a si mesmo como proprietário e usando-as. Desfrute-as na imaginação da mesma forma que as desfrutará quando elas forem seus bens tangíveis. Concentre-se em sua imagem mental até que ela esteja clara e nítida e, então, tome a Atitude Mental de Propriedade em relação a tudo o que está nessa imagem. Tenha a posse dela em sua mente, com plena fé de que é realmente sua. Apegue-se a essa "propriedade mental", não vacile nem por um instante na fé de que ela é real.

E lembre-se do que foi dito no capítulo anterior sobre gratidão; seja tão grato por isso, o tempo todo, quanto você espera ser quando tomar forma. O homem que pode, sinceramente, agradecer a Deus pelas coisas que ainda possui apenas na imaginação tem verdadeira fé. Ele ficará rico, ele provocará a criação de tudo o que deseja.

Você não precisa orar repetidamente pelas coisas que deseja, não é necessário falar com Deus todos os dias sobre isso.

"Não usem repetições vãs como fazem os pagãos", disse Jesus a Seus pupilos, "porque vosso Pai sabe que necessitais dessas coisas antes de Lhe pedirdes."

A sua parte é formular de modo inteligente o seu desejo pelas coisas que contribuem para uma vida mais plena e organizar esses desejos em um todo coerente; e, então, imprimir esse Desejo Integral na Substância Amorfa, que tem o poder e a vontade de lhe trazer o que você deseja.

Você não provoca essa impressão repetindo sequências de palavras, você o faz mantendo a imagem mental com um PROPÓSITO inabalável de alcançar o objetivo, e com FÉ inabalável de que você consegue alcançá-lo.

A resposta à oração não está de acordo com a sua fé enquanto você está falando, mas de acordo com a sua fé enquanto você está trabalhando.

Você não pode impressionar a mente de Deus por ter um dia especial de sábado reservado para dizer a Ele o que você quer, e, então, esquecê-Lo durante o resto da semana. Você não pode impressioná-Lo por ter horas especiais para entrar em seu quarto e orar, e, então, afastar o assunto da sua mente até que a hora da oração chegue novamente.

A oração é boa o suficiente e tem efeito, especialmente sobre você, clarificando sua visão e fortalecendo sua fé; mas não são suas petições em oração que lhe darão o que deseja. Para ficar rico, você não precisa de uma "doce hora de oração"; você precisa "orar sem cessar".

E, por oração, quero dizer agarrar-se firmemente à sua imagem mental com o propósito de provocar a sua criação de forma sólida, e com a Fé de que você está fazendo isso.

"Se crerdes, recebereis."

Tudo passa a ser recebido uma vez que você elaborou claramente a sua imagem mental. Depois de elaborada a imagem mental, é bom fazer uma declaração oral, dirigindo-se ao Supremo em oração reverente; e, a partir desse momento, você deve, em sua mente, receber o que pede. Viva na nova casa, use roupas finas, passeie no seu automóvel, siga a sua jornada, e, de modo confiante, planeje jornadas maiores. Pense e fale sobre todas as coisas que você pediu como se já as tivesse obtido, como se já fossem reais. Imagine um ambiente e uma condição financeira exatamente como você deseja e viva o tempo todo nesse ambiente e condição financeira imaginários. Lembre-se, entretanto, de que você não faz isso como um mero sonhador e construtor de castelos; apegue-se à FÉ de que o imaginário está sendo realizado e tenha o PROPÓSITO de realizá-lo. Lembre-se de que são a fé e o propósito no uso da imaginação que fazem a diferença entre o cientista e o sonhador. E tendo aprendido isso, é aqui que você deve aprender o uso apropriado da Força de Vontade.

CAPÍTULO IX

Como usar a força de vontade

Para começar a ficar rico de uma forma científica, você não tenta aplicar sua força de vontade a nada fora de você.

Seja como for, você não tem o direito de fazer isso.

É errado impor sua vontade a outros homens e mulheres a fim de levá-los a fazer o que você deseja.

É tão escandalosamente errado coagir pessoas pela força mental quanto pela força física. Se obrigar as pessoas, pela força física, a fazerem coisas por você as reduz à escravidão, obrigá-las por meios mentais resulta exatamente na mesma coisa, a única diferença está nos métodos usados. Se tirar coisas das pessoas pela força física é roubo, então tirar coisas pela força mental também é roubo, não há diferença de princípio.

Você não tem o direito de usar sua força de vontade sobre outra pessoa, mesmo "para o próprio bem dela", pois você não sabe o que é para o seu bem.

A ciência de como ficar rico não exige que você imponha poder ou força a qualquer outra pessoa, seja de que forma for. Não há a menor necessidade de fazer isso; na verdade, qualquer tentativa de usar a sua vontade sobre outras pessoas apenas tenderá a frustrar seu propósito.

Você não precisa impor sua vontade às coisas, a fim de obrigá-las a vir até você.

Isso seria simplesmente tentar coagir Deus – e seria tolo e inútil, além de desrespeitoso.

Você não precisa compelir Deus a lhe dar coisa boas, assim como não tem que usar sua força de vontade para fazer o sol nascer.

Você não precisa usar sua força de vontade para conquistar uma divindade hostil ou para fazer com que forças teimosas e rebeldes obedeçam às suas ordens.

A Substância é amigável com você e está mais ansiosa para lhe dar o que você deseja do que você está para conquistá-la.

Para ficar rico, você só precisa usar sua força de vontade sobre si mesmo. Quando sabe o que pensar e fazer, deve usar sua vontade para se obrigar a pensar e fazer as coisas certas. Esse é o uso legítimo da vontade para você conseguir o que quer – para se manter no curso certo. Use a sua vontade para continuar pensando e agindo de um Modo Certo.

Não tente projetar a sua vontade, ou os seus pensamentos, ou a sua mente no espaço, para "agir" sobre coisas ou pessoas.

Mantenha a mente em casa; ela pode realizar mais lá do que em qualquer outro lugar.

Use a mente para criar uma imagem mental do que você deseja e mantenha essa imagem com fé e propósito; e use a sua vontade para manter a mente trabalhando do Modo Certo.

Quanto mais firmes e contínuos forem a sua fé e o seu propósito, mais rapidamente você ficará rico, porque criará apenas impressões POSITIVAS sobre a Substância, e não irá neutralizá-las ou compensá-las por impressões negativas.

A imagem mental dos seus desejos, sustentada com fé e propósito, é absorvida pelo Amorfo, e ele atravessa grandes distâncias – por todo o universo, pelo que eu sei.

À medida que essa impressão se espalha, todas as coisas se movem em direção à sua realização; cada coisa viva, cada coisa inanimada, e as coisas ainda não criadas, são movidas para trazer à existência o que você deseja. Toda força começa a ser exercida nessa direção, todas as coisas começam a se mover em sua direção. As mentes das pessoas, em todos os lugares, são influenciadas no sentido de fazer as coisas necessárias para a realização de seus desejos, e elas trabalham para você inconscientemente.

No entanto, você pode verificar tudo isso dando início a uma impressão negativa na Substância Amorfa. A dúvida ou a incredulidade são tão certas para iniciar um movimento de projeção para longe de você quanto a fé e o propósito são para iniciar um movimento em sua direção. É por não entender isso que a maioria das pessoas que tentam fazer uso da "ciência mental" para enriquecer fracassa. Cada hora e cada momento que você gasta dando atenção às dúvidas e aos medos, cada hora que você gasta em preocupação, cada hora na qual a sua alma está tomada pela descrença definem uma corrente que se projeta para longe de você, com todo o domínio da Substância Inteligente. Todas as promessas são para os que creem, e somente para eles. Observe o quão insistente Jesus foi nesse ponto sobre a fé, e, agora, você sabe o motivo.

Considerando que a fé é muito importante, cabe a você vigiar seus pensamentos; e, como suas crenças serão moldadas, em grande parte, pelas coisas que você observa e pensa, é importante que você esteja no domínio da sua atenção.

E é aqui que a vontade entra em ação, pois é por sua vontade que você determina em que coisas a sua atenção será focada.

Se quer ficar rico, você não deve fazer um estudo sobre a pobreza.

As coisas não surgem pelo pensamento em seus opostos. A saúde nunca será alcançada analisando a doença e pensando sobre ela, a justiça não será promovida estudando as faltas e pensando sobre elas, e ninguém nunca ficou rico analisando e pensando sobre a pobreza.

A medicina, como uma ciência da doença, reforça a doença; a religião, como uma ciência do pecado, promove o pecado; e a economia, enquanto estuda a pobreza, encherá o mundo de miséria e carência.

Não fale sobre a pobreza, não procure saber ou se preocupar com isso. Não importa quais são as suas causas, você não tem nada a ver com elas.

O que o preocupa é a cura.

Não gaste tempo em trabalhos de caridade ou movimentos de caridade, toda caridade tende apenas a perpetuar a miséria que visa erradicar.

Não estou dizendo que você deve ter o coração duro ou ser rude e se recusar a ouvir o clamor da necessidade, mas você não deve tentar erradicar a pobreza de nenhuma das formas convencionais. Deixe a pobreza e tudo o que diz respeito a ela para trás e "faça o bem".

Ficar rico é a melhor maneira de ajudar os pobres.

E você não consegue manter a imagem mental que o tornará rico se preencher sua mente com imagens da pobreza. Não leia livros ou jornais que forneçam relatos circunstanciais da miséria dos moradores de cortiços, dos horrores do trabalho infantil e assim por diante. Não leia nada que encha sua mente com imagens sombrias de necessidade e sofrimento.

Você não pode ajudar os pobres apenas por saber sobre essas coisas, e o amplo conhecimento sobre elas não tende a acabar com a pobreza.

O que tende a acabar com a pobreza não é manter em mente imagens da pobreza, mas incutir imagens de riqueza na mente dos pobres.

Você não está abandonando os pobres em sua miséria quando se recusa a permitir que sua mente seja preenchida com imagens dessa miséria.

A pobreza pode ser erradicada, não aumentando o número de pessoas abastadas que pensam sobre a pobreza, mas aumentando o número de pessoas pobres que se propõem, com fé, a enriquecer.

Os pobres não precisam de caridade, eles precisam de inspiração. A caridade apenas lhes envia um pão para mantê-los vivos na miséria, ou lhes dá um entretenimento para fazê-los esquecer por uma ou duas horas, mas a inspiração fará com que eles saiam da miséria. Se você quer ajudar os pobres, demonstre a eles que podem se tornar ricos, prove isso ficando rico você mesmo.

A única maneira pela qual a pobreza será banida deste mundo é fazendo com que um grande e crescente número de pessoas pratique os ensinamentos deste livro.

As pessoas devem ser ensinadas a se tornarem ricas pela criação, não pela competição.

Todo homem que se torna rico pela competição lança atrás de si a escada pela qual ele sobe e mantém os outros no chão, mas todo homem que enriquece por meio da criação abre um caminho para que milhares o sigam e os inspira a fazê-lo.

Você não está mostrando dureza de coração ou uma disposição insensível quando se recusa a ter pena da pobreza, ver pobreza, ler sobre pobreza, pensar ou falar sobre ela, ou ouvir aqueles que falam sobre ela. Use sua força de vontade para manter a mente FORA do assunto da pobreza, e para mantê-la focada, com fé e propósito na imagem mental, na visualização do que você deseja.

CAPÍTULO X

Estimulando o uso da força de vontade

Você não consegue manter uma imagem clara e verdadeira da riqueza se estiver constantemente voltando a atenção para imagens opostas, sejam elas externas ou imaginárias.

Não fale sobre os seus problemas financeiros do passado, se você os teve, não pense neles de forma alguma. Não fale sobre a pobreza dos seus pais ou sobre as dificuldades da sua infância; fazer qualquer uma dessas coisas é se classificar mentalmente como pobre por um período, e isso, certamente, irá impedir o movimento das coisas em sua direção.

"Deixe que os mortos enterrem seus mortos", como disse Jesus.

Deixe a pobreza, e todas as coisas que dizem respeito à pobreza, completamente para trás.

Você aceitou certa teoria do universo como correta e está depositando todas as esperanças de felicidade nela; e o que você pode ganhar dando atenção a teorias conflitantes?

Não leia livros religiosos que dizem que o mundo está chegando ao fim, e não leia os escritos de sensacionalistas e filósofos pessimistas que dizem a você que o mundo está indo em direção ao diabo.

O mundo não está indo em direção ao diabo, ele está indo em direção a Deus.

Isso é um acontecimento maravilhoso.

É verdade que pode haver muitas coisas desagradáveis nas condições existentes, mas de que adianta observá-las quando, certamente, estão chegando ao fim, e quando a observação delas só tende a constatar sua existência e mantê-las conosco? Por que dedicar tempo e atenção a coisas que estão desaparecendo em virtude do crescimento evolutivo, quando você pode apressar o fim delas simplesmente promovendo o crescimento evolutivo até onde puder?

Não importa quão horríveis possam ser as condições em certos países, regiões ou lugares, você perde tempo e destrói suas próprias chances ao considerá-las.

Você deveria se interessar em saber que o mundo está enriquecendo.

Pense nas riquezas que o mundo está alcançando, em vez de pensar no crescimento da pobreza; e tenha em mente que a única maneira de ajudar o mundo a enriquecer é enriquecendo você mesmo por meio do método criativo – não do competitivo.

Dê atenção total às riquezas, ignore a pobreza.

Sempre que você pensar ou falar sobre aqueles que são pobres, pense e fale deles como aqueles que estão se tornando ricos, como aqueles que devem ser parabenizados em vez de lamentados. Então, eles e outras pessoas irão buscar inspiração e começarão a procurar uma saída.

O fato de eu dizer que você deve dedicar todo o seu tempo, mente e pensamento às riquezas não significa que você deve ser avarento ou mesquinho.

Tornar-se realmente rico é o objetivo mais nobre que você pode ter na vida, pois ele inclui todo o resto.

No plano competitivo, a luta para ficar rico é uma luta sem Deus pelo poder sobre os outros homens, mas quando entramos na mente criativa tudo isso muda.

Tudo o que é possível no caminho da grandeza e do desenvolvimento da alma, do serviço e esforço elevados, vem por meio do enriquecimento, tudo se torna possível pelo uso das coisas.

Se você não tem saúde física, descobrirá que alcançá-la depende de você ficar rico.

Somente aqueles que estão livres das preocupações financeiras e que têm recursos para viver uma existência livre de preocupações e seguir práticas saudáveis podem ter e manter a saúde.

A grandeza moral e espiritual só é possível para aqueles que estão acima da batalha competitiva pela existência, e apenas aqueles que estão se tornando ricos pelo pensamento criativo estão livres das influências degradantes da competição. Se o seu coração está voltado para a felicidade doméstica, lembre-se de que o amor floresce melhor onde há refinamento, pensamentos elevados e ausência de influências corruptoras, e isso tudo é encontrado apenas onde as riquezas são alcançadas pelo exercício do pensamento criativo, sem contendas ou rivalidades.

Você não pode almejar nada tão grande ou nobre, repito, quanto tornar-se rico; e você deve focar a atenção em sua imagem mental de riquezas, excluindo tudo o que possa tender a turvar ou obscurecer sua visualização.

Você deve aprender a ver a VERDADE subjacente em todas as coisas; deve ver por trás de todas as condições aparentemente erradas a Grandiosa Vida sempre avançando em direção a uma expressão mais plena e a uma felicidade mais completa.

É verdade que não existe pobreza, que só existe riqueza.

Algumas pessoas permanecem na pobreza porque ignoram o fato de que existe riqueza para elas, e essas pessoas podem ser mais bem ensinadas mostrando-lhes o caminho para a riqueza com o seu próprio exemplo prático.

Outras pessoas são pobres porque, embora sintam que há uma saída, são intelectualmente indolentes demais para fazer o esforço mental necessário a fim de encontrar o caminho e percorrê-lo; e, por elas, a melhor coisa que você pode fazer é despertar o desejo delas, mostrando-lhes a felicidade que vem justamente do fato de ser rico.

Outras pessoas ainda são pobres porque, embora tenham alguma noção de conhecimento, ficaram tão atoladas e perdidas no labirinto de teorias metafísicas e ocultas que não sabem que caminho seguir. Elas tentam uma mistura de muitos sistemas e falham em todos. Para essas pessoas, novamente, a melhor coisa a fazer é mostrar o caminho certo com o seu próprio exemplo e prática; um pingo de coisas feitas vale muito mais que grandes quantidades de teorias.

A melhor coisa que você pode fazer pelo mundo inteiro é tirar o máximo proveito de si mesmo.

Você não pode servir a Deus e aos homens de maneira mais eficaz do que enriquecendo, isto é, se você ficar rico pelo método criativo, e não pelo competitivo.

Outra coisa. Afirmamos que este livro fornece em detalhes os fundamentos da ciência de ficar rico, e, se isso for verdade, você não precisa ler outro livro sobre o assunto. Isso pode parecer limitado e egoísta, mas considere: não há método mais científico de cálculo em matemática do que por adição, subtração, multiplicação e divisão, nenhum outro método é possível. Só pode haver uma distância mais curta entre dois pontos. Só existe uma maneira de pensar cientificamente: pensar da maneira que conduz pelo caminho mais direto e simples até o objetivo. Nenhum homem formulou, ainda, um "sistema" mais breve ou menos complexo do que aquele aqui estabelecido, ele foi despojado de todos os itens não essenciais. Quando você começar a se dedicar a ele, deixe todos os outros sistemas e métodos de lado, tire-os completamente da cabeça.

Leia este livro todos os dias; mantenha-o com você, memorize-o e não pense em outros "sistemas" e teorias. Se o fizer, começará a ter dúvidas e a ficar inseguro e vacilante em seus pensamentos, e, então, começará a cometer erros.

Depois de ficar bem e tornar-se rico, você poderá estudar outros sistemas o quanto quiser; mas até que você tenha certeza de que conquistou o que deseja, não leia nada nessa linha, exceto este livro, a menos que seja dos autores mencionados no Prefácio.

E leia apenas os comentários mais otimistas sobre as notícias do mundo, aqueles em harmonia com a sua imagem.

Além disso, adie suas pesquisas sobre ocultismo. Não se envolva em teosofia, espiritualismo ou estudos afins. É muito provável que os mortos ainda vivam e estejam próximos; mas, se eles estiverem, deixe-os em paz, não é da sua conta.

Onde quer que estejam os espíritos dos mortos, eles têm o próprio trabalho a fazer e os próprios problemas a resolver, e não temos o direito de interferir no caminho deles. Não podemos ajudá-los, e é muito duvidoso que eles possam nos ajudar, ou que tenhamos o direito de invadir a dimensão deles, se pudermos. Deixe os mortos e o além em paz e resolva os próprios problemas, fique rico. Se você começar a se misturar com o oculto, dará início a correntes mentais cruzadas que, certamente, levarão suas esperanças ao naufrágio. Agora, este capítulo e os anteriores nos trouxeram as seguintes afirmações sobre fatos básicos: existe uma matéria do pensamento da qual todas as coisas são feitas e que, em seu estado original, permeia, penetra e preenche os interespaços do universo.

Um pensamento, nessa substância, produz a coisa que é imaginada pelo pensamento.

O homem pode criar coisas em seu pensamento e, ao imprimir seu pensamento na Substância Amorfa, pode fazer com que essas coisas nas quais ele pensa sejam criadas.

Para fazer tudo isso, o homem deve passar da mente competitiva para a mente criativa; ele deve criar uma imagem mental clara das coisas que deseja, e manter essa imagem em seus pensamentos com o PROPÓSITO de conseguir o que deseja e a FÉ inabalável de que ele consegue o que quer, fechando a mente contra tudo o que possa contribuir para abalar seu propósito, obscurecer sua visão ou extinguir a sua fé.

E, além de tudo isso, veremos agora que ele deve viver e agir de Modo Certo.

CAPÍTULO XI

Agindo de modo certo

O pensamento é o poder criativo, ou a força propulsora que faz com que o poder criativo aja; pensar de Modo Certo trará riquezas para você, mas você não deve confiar apenas no pensamento, sem prestar atenção à ação pessoal. Esse é o rochedo sobre o qual muitos pensadores metafísicos científicos naufragam – a falha em conectar o pensamento com a ação pessoal.

Ainda não alcançamos o estágio de desenvolvimento, mesmo supondo que tal estágio seja possível, no qual o homem pode criar diretamente a partir da Substância Amorfa sem os processos da natureza ou o trabalho das mãos humanas; o homem não deve apenas pensar, sua ação pessoal deve complementar o seu pensamento.

Pelo pensamento você pode fazer com que o ouro no coração das montanhas seja colocado em movimento até você, mas ele não vai extrair a si mesmo, refinar-se, transformar-se e ganhar asas ou vir rolando pelas estradas procurando o caminho para o seu bolso.

Sob o poder impulsionador do Espírito Supremo, os assuntos dos homens serão ordenados de forma que alguém será levado a minerar o ouro para você, as transações comerciais de outros homens serão direcionadas de forma que o ouro seja trazido para você, e você deve organizar os próprios negócios para que possa recebê-lo quando chegar a você. Seu pensamento faz todas as coisas, animadas e inanimadas, trabalharem para lhe trazer o que você deseja, mas sua atitude pessoal deve ser tal que você possa receber corretamente o que deseja quando isso chegar até você. Você não deve tomar o que deseja como caridade, nem roubá-lo; deve dar a cada homem mais em valor de uso do que ele lhe dá em valor monetário.

O uso científico do pensamento consiste em formar uma imagem mental clara e definida daquilo que você deseja, em apegar-se ao propósito de obter o que deseja e em perceber, com fé e gratidão, que você consegue o que deseja.

Não tente "projetar" o pensamento de nenhuma forma misteriosa ou oculta, com a ideia de que ele "saia" e faça as coisas por você; isso é esforço desperdiçado e enfraquecerá sua capacidade de pensar com sanidade.

A ação do pensamento no propósito de ficar rico é totalmente explicada nos capítulos anteriores; sua fé e propósito imprimem de forma positiva a sua imagem mental sobre a Substância Amorfa, que tem O MESMO

DESEJO DE VIDA PLENA QUE VOCÊ; e essa imagem mental, recebida de você, coloca todas as forças criativas em ação NOS SEUS CANAIS DE AÇÃO E ATRAVÉS DELES, mas dirigidas a você.

Não cabe a você conduzir ou supervisionar o processo criativo; tudo que você precisa fazer é manter a sua imagem mental, cumprir o seu propósito e manter a fé e a gratidão.

No entanto, você deve agir de Modo Certo, para que possa se apropriar do que é seu quando ele chegar até você, de modo que possa encontrar as coisas que tem na imagem mental e colocá-las em seus devidos lugares assim que elas chegarem.

Prontamente você pode ver a verdade disso. Quando as coisas chegarem a você, elas estarão nas mãos de outras pessoas, que pedirão algo equivalente por elas.

E você só pode conseguir o que é seu dando aos outros homens o que é deles.

Sua carteira não vai se transformar em uma bolsa de Fortunato, que estará sempre cheia de dinheiro sem esforço algum de sua parte.

Esse é o ponto crucial na ciência de ficar rico, bem aqui, onde o pensamento e a ação pessoal devem ser combinados. Existem muitas pessoas que, consciente ou inconscientemente, colocam as forças criativas em ação pela força e persistência dos seus desejos, mas que permanecem pobres porque não proporcionam a recepção do que elas querem quando isso chega até elas.

Pelo pensamento, aquilo que você deseja é trazido até você; pela ação, você o recebe.

Qualquer que seja a sua ação, é evidente que você deve agir AGORA. Você não pode agir no passado, e é essencial, para a clareza da sua imagem mental, que afaste o passado de sua mente. Você não pode agir no futuro, pois o futuro ainda não está aqui. E não pode dizer como vai agir em qualquer contingência futura até que essa possibilidade chegue.

Como você não está no negócio certo ou no ambiente certo agora, não pense que deve adiar a ação até entrar no negócio ou no ambiente certo. E não perca tempo no presente pensando no melhor rumo em possíveis emergências futuras, tenha fé na sua capacidade de atender a qualquer emergência quando ela chegar.

Se agir no presente com a mente voltada para o futuro, sua ação presente ocorrerá com a mente dividida, e isso não será eficaz.

Coloque toda a mente na ação presente.

Não dê impulso criativo à Substância Original e depois vá sentar-se esperando pelos resultados; se o fizer, nunca os obterá. Aja agora. Nunca existe outro tempo senão o agora, e nunca haverá qualquer tempo senão o agora. Se você pretende começar a se preparar para receber o que deseja, deve começar agora.

E a sua ação, seja ela qual for, deve, muito provavelmente, ser sobre o seu negócio ou emprego atuais, e deve ser sobre as pessoas e coisas em seu ambiente atual.

Você não pode agir onde não está, não pode agir onde esteve e não pode agir onde ainda vai estar, você pode agir apenas onde você está.

Não se preocupe se o trabalho de ontem foi bem-feito ou malfeito, faça bem o trabalho de hoje.

Não tente fazer o trabalho de amanhã agora, haverá muito tempo para fazer isso quando você chegar lá.

Não tente, por meios ocultos ou místicos, agir sobre as pessoas ou coisas que estão fora do seu alcance.

Não espere por uma mudança de ambiente antes de agir, consiga uma mudança de ambiente pela ação.

Você pode agir sobre o ambiente em que se encontra agora, de modo a ser levado a um ambiente melhor.

Mantenha com fé e propósito a visualização de si mesmo no melhor ambiente, mas atue no ambiente atual com todo o seu coração, com todas as suas forças e com toda a sua mente.

Não perca tempo sonhando acordado ou construindo castelos; mantenha a imagem mental do que você quer, e aja AGORA.

Não se preocupe em buscar alguma coisa nova para fazer, ou alguma ação estranha, incomum ou notável a ser executada como um primeiro passo para ficar rico. É provável que as suas ações, pelo menos por algum tempo, sejam aquelas que você vem realizando há algum tempo, mas você deve começar agora a realizar essas ações de Modo Certo, o que, certamente, tornará você rico.

Se está envolvido em algum negócio, mas sente que não é o adequado para você, não espere até entrar no negócio certo antes de começar a agir.

Não se sinta desanimado, nem se sente e lamente porque está fora do seu lugar. Nenhum homem ficou tão fora do lugar que não pudesse encontrar o lugar certo, e nenhum homem jamais se envolveu em um negócio inadequado de forma que não pudesse entrar no negócio certo.

Mantenha a imagem mental de si mesmo no negócio certo, com o propósito de entrar nele e com a fé de que você entrará e está entrando nele, mas ATUE no seu negócio presente. Use o seu negócio atual como meio de conseguir um melhor, e use o seu ambiente atual como meio de entrar em outro melhor. A sua visualização do negócio certo, se mantida com fé e propósito, fará com que o Supremo mova o negócio certo em sua direção; e a sua ação, se realizada de Modo Certo, fará com que você se mova em direção ao negócio.

Se você é um empregado ou assalariado e sente que deve mudar de lugar para conseguir o que deseja, não "projete" o pensamento no espaço e confie nele para conseguir outro emprego. Isso, provavelmente, não vai funcionar.

Mantenha a visualização de si mesmo no trabalho que você deseja, enquanto ATUA com fé e propósito no trabalho que tem, e, certamente, conseguirá o trabalho que deseja.

Sua imagem mental e fé colocarão a força criativa em movimento para trazer o que você deseja em sua direção, e a sua ação fará com que as forças em seu próprio ambiente o movam em direção ao lugar que deseja. Ao encerrar este capítulo, incluiremos outra declaração ao nosso plano de estudo: existe uma matéria do pensamento da qual todas as coisas são feitas e que, em seu estado original, permeia, penetra e preenche os interespaços do universo.

Um pensamento, nessa substância, produz a coisa que é formada pelo pensamento.

O homem pode criar coisas em seu pensamento e, ao imprimir o pensamento na Substância Amorfa, pode fazer com que essas coisas nas quais ele pensa sejam criadas.

Para fazer tudo isso, o homem deve passar da mente competitiva para a mente criativa; deve criar uma imagem mental clara das coisas que deseja e manter essa imagem em seus pensamentos com o PROPÓSITO fixo de conseguir o que deseja e a FÉ inabalável de que consegue o que quer, fechando a mente contra tudo que possa tender a abalar seu propósito, obscurecer sua visão ou extinguir sua fé.

Para que ele possa receber o que deseja quando isso chegar, o homem deve agir AGORA sobre as pessoas e coisas em seu ambiente atual.

CAPÍTULO XII

A ação eficiente

Você deve usar seu pensamento conforme orientado nos capítulos anteriores, e começar a fazer o que puder, onde estiver; e você deve fazer TUDO o que puder onde você estiver.

Você só pode avançar sendo maior do que o seu lugar atual, e nenhum homem é maior do que o seu lugar atual se deixar por fazer qualquer trabalho pertencente a esse lugar.

O mundo avança apenas por aqueles que mais do que preenchem seus lugares atuais.

Se nenhum homem ocupou completamente o seu lugar atual, você pode ver que deve haver um retrocesso em todas as coisas. Aqueles que não ocupam totalmente os seus lugares atuais são um peso morto para a sociedade, o governo, o comércio e a indústria; eles devem ser carregados por outros a um grande custo. O progresso do mundo sofre atraso apenas por conta daqueles que não ocupam plenamente os seus lugares; eles pertencem a uma época anterior e a um estágio ou plano de vida inferior, e a sua tendência é a degeneração. Nenhuma sociedade poderia progredir se cada homem fosse menor do que o seu lugar; a evolução social é conduzida pela lei da evolução física e mental. No mundo animal, a evolução é provocada pelo excesso de vida.

Quando um organismo tem mais vida do que pode ser expressa nas funções de seu próprio plano, ele desenvolve os órgãos de um plano superior, e uma nova espécie é originada.

Nunca teria havido novas espécies se não houvesse organismos que ocupassem mais do que os seus próprios lugares. A lei é exatamente a mesma para você; seu enriquecimento depende da aplicação desse princípio aos próprios negócios.

Cada dia é um dia de sucesso ou um dia de fracasso, e são os dias de sucesso que proporcionam o que você deseja. Se todo dia for um fracasso, você nunca ficará rico; por outro lado, se cada dia for um sucesso, você não pode deixar de ficar rico.

Se há algo que pode ser feito hoje e você não o faz, você falhou no que se refere a essa coisa, e as consequências podem ser mais desastrosas do que você imagina.

Você não pode prever os resultados nem mesmo das atitudes mais simples, não conhece o funcionamento de todas as forças que foram colocadas em movimento a seu favor. Muito pode depender de você realizar alguma ação simples, isso pode ser exatamente o que abrirá a porta da oportunidade para possibilidades muito incríveis. Você nunca conseguirá saber todas as combinações que a Inteligência Suprema está movimentando para você no mundo das coisas e dos negócios humanos; sua negligência, ou fracasso, em fazer alguma coisa pequena pode provocar um longo atraso para obter o que você deseja.

Faça, todos os dias, TUDO o que puder ser feito naquele dia.

Há, no entanto, uma limitação ou qualificação do que está acima, que você deve levar em consideração.

Você não deve trabalhar demais, nem se precipitar cegamente em seu negócio, no esforço de fazer o maior número possível de coisas no menor tempo possível.

Não deve tentar fazer hoje o trabalho de amanhã, nem fazer o trabalho de uma semana em um dia.

Na realidade, não é o número de coisas que você faz, mas a EFICIÊNCIA de cada ação, de cada atitude, que conta.

Cada ato é, em si mesmo, um sucesso ou um fracasso.

Cada ato é, em si mesmo, eficaz ou ineficiente.

Todo ato ineficiente é um fracasso, e, se você passar a vida praticando atos ineficientes, toda a sua vida será um fracasso.

Quanto mais coisas você faz, pior para você, se todos os seus atos forem ineficientes.

Por outro lado, todo ato eficiente é um sucesso em si mesmo, e, se cada ato da sua vida for eficiente, toda a sua vida DEVE ser um sucesso.

A causa do fracasso é fazer muitas coisas de maneira ineficiente e não fazer o suficiente de maneira eficiente.

Você verá que é uma afirmação evidente que, se não praticar nenhum ato ineficaz, e se fizer um número suficiente de atos eficientes, ficará rico. Se, agora, é possível para você realizar cada ato eficiente, verá novamente que a obtenção de riquezas é reduzida a uma ciência exata, como a matemática.

O assunto gira, então, sobre a questão de saber se você pode transformar cada atitude em si mesma em um sucesso. E isso, certamente, você pode fazer.

Você pode transformar cada atitude em um sucesso, porque Todo o Poder está trabalhando com você, e Todo o Poder não pode falhar.

O poder está a seu serviço, e, para tornar cada ato eficiente, você só precisa colocar poder nele.

Cada ação é forte ou fraca, e, quando cada uma é forte, você está agindo de um Modo Certo que o tornará rico.

Cada ato pode se tornar forte e eficiente ao manter sua imagem mental enquanto você o realiza e colocar todo o poder de sua FÉ e PROPÓSITO nisso.

É nesse ponto que falham as pessoas que separam o poder mental da ação pessoal. Elas usam o poder da mente em um lugar e em um momento, e agem em outro lugar e em outro momento. Portanto, seus atos não são bem-sucedidos em si mesmos, muitos deles são ineficientes. No entanto, se Todo o Poder está presente em cada ato, não importa o quão comum seja, cada ato será um sucesso em si mesmo; e, como na natureza das coisas todo sucesso abre caminho para outros sucessos, seu progresso em direção ao que você deseja e o progresso do que você deseja em sua direção se tornarão cada vez mais rápidos.

Lembre-se de que a ação bem-sucedida é cumulativa em seus resultados. Visto que o desejo por mais vida é inerente a todas as coisas, quando um homem começa a se mover em direção a uma vida mais plena, mais coisas se ligam a ele, e a influência do seu desejo é multiplicada.

Faça, todos os dias, tudo o que você pode fazer naquele dia, e realize cada ação de maneira eficiente.

Ao dizer que você deve manter a visualização enquanto executa cada ato, por mais simples e trivial que seja, não quero dizer que seja necessário ter a visualização distinta em todos os detalhes o tempo todo. Deixe para as suas horas de lazer usar a imaginação nos detalhes da sua visualização e contemplá-los até que estejam firmemente fixados em sua memória.

Se você deseja resultados rápidos, gaste praticamente todo o seu tempo livre nessa prática.

Pela contemplação contínua, você conseguirá a imagem do que deseja, mesmo nos menores detalhes, tão firmemente fixada em sua mente, e tão completamente transferida para a mente da Substância Amorfa, que, em suas horas de trabalho, você só precisa se referir mentalmente à sua visualização para estimular sua fé e seu propósito, e fazer com que os seus melhores esforços sejam colocados em prática. Contemple a sua imagem mental em suas horas de lazer até que sua consciência esteja tão preenchida por ela que você possa captá-la instantaneamente. Você ficará tão entusiasmado com as suas promessas brilhantes que o mero pensamento a respeito despertará as energias mais fortes de todo o seu ser.

Vamos repetir o nosso plano de estudos, e, mudando um pouco as afirmações finais, trazê-lo ao ponto que agora alcançamos.

Existe uma matéria do pensamento da qual todas as coisas são feitas e que, em seu estado original, permeia, penetra e preenche os interespaços do universo.

Um pensamento, nessa substância, produz a coisa que é imaginada pelo pensamento.

O homem pode criar coisas em seu pensamento e, ao imprimir o pensamento na Substância Amorfa, pode fazer com que essas coisas nas quais ele pensa sejam criadas.

Para fazer tudo isso, o homem deve passar da mente competitiva para a mente criativa; deve criar uma imagem mental clara das coisas que ele deseja e agir, com FÉ e PROPÓSITO, fazendo tudo o que pode ser feito a cada dia, fazendo uma coisa de cada vez e de maneira eficiente.

CAPÍTULO XIII

Entrando no negócio certo

O sucesso, em qualquer negócio específico, depende, em primeiro lugar, de você ter, em um nível bem desenvolvido, as habilidades exigidas nesse negócio.

Sem uma boa habilidade em música, ninguém pode ter sucesso como professor de música; sem habilidades mecânicas bem desenvolvidas, ninguém pode alcançar grande sucesso em qualquer um dos ofícios que lidam com mecânica; sem tato e sem as habilidades comerciais, ninguém pode ter sucesso em atividades de negociação. No entanto, ter em um nível bem desenvolvido as habilidades exigidas em sua vocação não garante seu enriquecimento. Existem músicos que têm um talento notável, mas continuam pobres; há ferreiros, carpinteiros e outros que têm excelente habilidade, mas não enriquecem; e há comerciantes com boas habilidades para lidar com as outras pessoas que, apesar disso, fracassam.

As diferentes habilidades são apenas ferramentas; é essencial ter boas ferramentas, mas também é essencial que as ferramentas sejam usadas do modo certo. Um homem pode pegar uma serra afiada, uma tábua, ter um bom planejamento, e assim por diante, e construir uma bela peça de mobília; outro homem pode pegar as mesmas ferramentas e trabalhar para duplicar a peça, mas sua produção ser um desastre. Ele não sabe como usar boas ferramentas com sucesso.

As várias habilidades da sua mente são as ferramentas com as quais você deve fazer o trabalho que o tornará rico; será mais fácil ter sucesso se entrar em um negócio para o qual está bem equipado com as ferramentas mentais.

De um modo geral, você se sairá melhor naquele negócio que usará suas habilidades mais fortes, aquele negócio para o qual está naturalmente "mais bem equipado". No entanto, também há limitações para essa afirmação. Nenhum homem deve considerar sua vocação como irrevogavelmente definida pelas características com as quais ele nasceu.

Você pode ficar rico em QUALQUER negócio, pois, se não tiver o talento certo para isso, poderá desenvolver esse talento; significa apenas que você terá que criar as ferramentas conforme avança, em vez de se limitar ao uso daquelas com as quais você nasceu. Será MAIS

FÁCIL ter sucesso em uma vocação para a qual você já tem talentos em um estado bem desenvolvido, mas você PODE ter sucesso em qualquer área, pois pode desenvolver qualquer talento não desenvolvido, e não há talento do qual você não tenha, pelo menos, o básico.

Você ficará rico mais facilmente em termos de esforço se fizer aquilo para o qual está mais apto, mas ficará rico de forma mais satisfatória se fizer o que QUER fazer.

Fazer o que você quer é vida, e não há satisfação real em viver se formos forçados a fazer para sempre algo de que não gostamos, e nunca pudermos fazer o que queremos. E é certo que você pode fazer o que quiser, o desejo de fazer isso é a prova de que você tem dentro de si o poder que pode fazer isso.

O desejo é uma manifestação de poder.

O desejo de tocar música é a força que pode tocar música buscando expressão e desenvolvimento, o desejo de inventar dispositivos mecânicos é o talento mecânico que busca expressão e desenvolvimento.

Onde não há força, desenvolvida ou não desenvolvida, para fazer uma coisa, nunca há qualquer desejo de fazer essa coisa; e onde há um forte desejo de fazer algo fica provado que o poder de fazê-lo é forte e só precisa ser desenvolvido e aplicado da maneira certa.

Se todas as coisas são iguais, é melhor selecionar o negócio para o qual você tem o talento mais desenvolvido; mas, se você tem o desejo forte de se envolver em qualquer outra área específica de trabalho, deve selecionar esse trabalho como o objetivo final que quer alcançar.

Você pode fazer o que quiser, e é seu direito e privilégio seguir o negócio ou a ocupação que lhe sejam mais agradáveis e adequados.

Você não é obrigado a fazer o que não gosta de fazer, e não deve fazê-lo, exceto como um meio de levá-lo a fazer o que deseja.

Se houver erros passados cujas consequências o colocaram em um ambiente ou negócio indesejável, você pode ser obrigado, por algum tempo, a fazer o que não gosta; mas você pode torná-lo agradável sabendo que isso possibilita que você faça o que deseja.

Se você sente que não está na vocação certa, não aja precipitadamente ao tentar entrar em outra. A melhor maneira, geralmente, de mudar os negócios ou o ambiente é pelo crescimento.

Não tenha medo de fazer uma mudança repentina e radical se a oportunidade se apresentar e você sentir, após uma consideração cuidadosa, que é a oportunidade certa; mas nunca tome uma atitude repentina ou radical quando estiver em dúvida quanto aos conhecimentos necessários para tomá-la.

Nunca há pressa no plano criativo, e oportunidades não faltam.

Quando você sair da mente competitiva, compreenderá que nunca precisa agir precipitadamente. Ninguém mais vai vencê-lo no que você quer fazer, existe o suficiente para todos. Se um lugar for ocupado, outro e melhor será aberto para você um pouco mais adiante, há muito tempo. Quando você estiver em dúvida, espere. Recue na contemplação da sua imagem mental e aumente sua fé e seu propósito, e, por todos os meios, em tempos de dúvida e indecisão, cultive a gratidão.

Passar um ou dois dias contemplando a imagem mental do que você deseja, e em sincero agradecimento por estar conseguindo isso, fará com que a sua mente tenha um relacionamento tão íntimo com o Supremo que você não cometerá nenhum erro ao agir.

Existe uma mente que sabe tudo o que há para saber, e você pode entrar em união íntima com essa mente pela fé e pelo propósito de progredir na vida, se tiver profunda gratidão.

Os erros decorrem da ação precipitada, ou de agir com medo ou dúvida, ou pelo esquecimento do Motivo Certo, que é mais vida para todos, e menos para ninguém.

À medida que você prossegue de Modo Certo, as oportunidades virão até você em número crescente, e você precisará estar muito firme em sua fé e propósito, e se manter em contato muito próximo com Toda a Mente, por meio de uma gratidão reverente.

Faça tudo o que puder de maneira perfeita todos os dias, mas sem pressa, preocupação ou medo. Vá o mais rápido que puder, mas nunca se apresse.

Lembre-se de que, no momento em que você começa a se apressar, deixa de ser um criador e passa a ser um competidor, você cai de volta no velho plano.

Sempre que estiver com pressa, pare, coloque a atenção na imagem mental daquilo que você deseja e comece a agradecer por estar conseguindo. O exercício da GRATIDÃO nunca deixará de fortalecer sua fé e renovar seu propósito.

CAPÍTULO XIV

A sensação de prosperidade

Quer mude de vocação ou não, suas ações para o presente devem ser aquelas relativas ao negócio no qual você está engajado.

Você pode entrar no negócio que quiser fazendo um uso construtivo do negócio no qual já está estabelecido – fazendo seu trabalho diário de Modo Certo.

E, na medida em que o seu negócio consiste em lidar com outras pessoas, seja pessoalmente, seja a distância, o pensamento-chave para todos os seus esforços deve ser transmitir às suas mentes a impressão de melhoria.

Melhoria é o que todos os homens e mulheres procuram, é o desejo da Inteligência Amorfa dentro deles, buscando uma expressão mais plena.

O desejo de melhoria é inerente a toda natureza, é o impulso fundamental do universo. Todas as atividades humanas são fundamentadas no desejo de melhoria; as pessoas estão procurando por mais comida, mais roupas, melhor moradia, mais luxo, mais beleza, mais conhecimento, mais prazer – melhoria em alguma coisa, mais vida.

Cada coisa viva está sob essa necessidade de avanço contínuo; onde cessa a melhoria da vida, a dissolução e a morte se instalam de uma vez.

O homem sabe disso instintivamente e, portanto, está sempre buscando por mais. Essa lei de melhoria contínua é apresentada por Jesus na Parábola dos Talentos; apenas aqueles que ganham mais retêm algum, daquele que não tem, até o pouco que tem será tirado.

O desejo normal de maior riqueza não é algo mau ou repreensível, é simplesmente o desejo de uma vida mais abundante, ele é a aspiração.

E por ser o instinto mais profundo de suas naturezas, todos os homens e mulheres são atraídos por aquele que pode dar-lhes mais recursos e meios de vida.

Seguindo de Modo Certo, conforme descrito nas páginas anteriores, você está conquistando uma melhoria contínua para si mesmo, e está dando isso a todos com quem você lida.

Você é um centro criativo, a partir do qual a melhoria é dada a todos.

Certifique-se disso e transmita a certeza desse fato a cada homem, mulher e criança com quem entrar em contato. Por menor que seja uma negociação, mesmo que seja apenas a venda de um pedaço de doce para uma criança, coloque nela o pensamento de melhoria e certifique-se de que o cliente fique impressionado com essa ideia.

Transmita a impressão de avanço em tudo que você faz, de modo que todas as pessoas recebam a impressão de que você é um homem que avança e que você faz avançar todos os que lidam com você. Até mesmo ao se tratar de pessoas que você conhece de forma social, sem pensar em negócios, e para quem você não tenta vender nada, transmita a ideia de melhoria.

Você pode transmitir essa impressão mantendo a fé inabalável de que você mesmo está no Caminho da Melhoria, e deixando essa fé inspirar, preencher e permear cada ação.

Faça tudo com a firme convicção de que você é uma pessoa que avança e que está promovendo avanço a todos.

Sinta que está ficando rico e que, ao fazê-lo, está enriquecendo as outras pessoas e conferindo benefícios a todos.

Não se vanglorie ou se gabe de seu sucesso, nem fale sobre ele desnecessariamente; a verdadeira fé nunca é arrogante.

Onde quer que encontre uma pessoa orgulhosa, você encontrará alguém que está secretamente em dúvida e com medo. Simplesmente sinta a fé e deixe-a funcionar em cada coisa que você fizer; deixe que cada ato, nuance e aparência expressem a serena segurança de que você está ficando rico, de que você já é rico. Não serão necessárias palavras para comunicar esse sentimento às outras pessoas; elas sentirão uma sensação de melhoria quando estiverem em sua presença, e serão atraídas até você novamente.

Você deve impressionar outras pessoas de tal forma que elas sintam que, ao se associarem a você, obterão crescimento e melhoria para si próprias. Certifique-se de dar a elas um valor de uso maior do que o valor em dinheiro que está recebendo delas.

Tenha um orgulho legítimo e honesto em fazer isso, e deixe todo mundo saber disso – e você não terá falta de clientes. As pessoas irão para onde receberem melhorias; e o Supremo, que deseja melhorar em tudo, e que tudo sabe, moverá em direção a você homens e mulheres que nunca ouviram a seu respeito. Seu negócio irá prosperar rapidamente, e você ficará surpreso com os benefícios inesperados que virão até você. Poderá, dia a dia, fazer acertos maiores, obter maiores vantagens e prosseguir para uma vocação mais adequada a você, se assim o desejar.

No entanto, ao fazer tudo isso, nunca perca de vista a sua visão mental do que deseja, ou a sua fé e o propósito de conseguir o que deseja.

Deixe-me aqui lhe dar outras palavras de alerta com relação às motivações.

Cuidado com a tentação insidiosa de buscar poder sobre outros homens.

Nada é tão agradável para a mente não expandida, ou parcialmente desenvolvida, quanto o exercício do poder ou do domínio sobre as outras pessoas. O desejo de estar no comando, para a satisfação egoísta, tem sido a maldição do mundo. Por incontáveis eras, reis e senhores encharcaram a Terra com sangue em batalhas para estender seus domínios; isso acontece não para buscar uma vida mais plena para todos, mas para obter mais poder para si mesmos.

Hoje a motivação principal no mundo empresarial e industrial é a mesma, os homens organizam os seus exércitos de dólares e destroem as vidas e os corações de milhões na mesma corrida louca pelo poder sobre os outros. Os reis do comércio, como os reis da política, são inspirados pela ânsia de poder.

Jesus viu, nesse desejo de dominar, o impulso movente daquele mundo maligno que Ele procurava derrubar. Leia o Capítulo 23 de Mateus e veja como Ele retrata a ânsia dos fariseus para serem chamados de "Mestres", para sentarem-se nos lugares privilegiados, dominar as outras pessoas e colocar fardos nas costas dos menos afortunados; e observe como Ele compara esse desejo de domínio com a busca fraterna pelo Bem Comum, para a qual Ele chama os Seus discípulos.

Esteja alerta à tentação de buscar autoridade, de se tornar um "mestre", de ser considerado alguém que está acima do rebanho comum, de impressionar as outras pessoas com sua exibição pródiga, e assim por diante.

A mente que busca o domínio sobre as outras pessoas é a mente competitiva – e a mente competitiva não é a criativa. Para controlar o seu ambiente e seu destino, não é necessário que você domine os seus semelhantes; e, de fato, quando você cai na luta mundial pelos lugares mais altos, começa a ser conquistado pelo destino e pelo ambiente, e seu enriquecimento se torna uma questão de acaso e especulação.

Cuidado com a mente competitiva! Nenhuma afirmação explica melhor o princípio da ação criativa do que o princípio da "Regra de Ouro", de Samuel Jones, prefeito de Toledo: "O que eu quero para mim, eu quero para todos".

CAPÍTULO XV

A pessoa próspera

O que eu disse no capítulo anterior se aplica tanto ao profissional e ao assalariado quanto a quem se dedica aos próprios negócios.

Não importa se você é médico, professor ou clérigo, se puder dar melhoria de vida a outras pessoas e torná-las conscientes disso, elas se sentirão atraídas por você, e você ficará rico. O médico que tem a visão de si mesmo como um grande e bem-sucedido curador, e que trabalha para a realização plena dessa imagem mental com fé e propósito, conforme descrito nos capítulos anteriores, entrará em contato tão próximo com a Fonte da Vida que terá um sucesso fenomenal, os pacientes virão até ele em multidões.

Ninguém tem maior oportunidade de levar a efeito os ensinamentos deste livro do que o praticante de medicina – não importa a qual das várias escolas ele pertença, pois o princípio da cura é comum a todas elas e pode ser alcançado por todos igualmente. O homem que prospera na medicina, que mantém uma imagem mental clara de si mesmo como bem-sucedido e que obedece às leis da fé, do propósito e da gratidão, irá curar todos os casos curáveis dos quais se encarregar, independentemente dos remédios que possa usar.

No campo da religião, o mundo clama pelo clérigo que possa ensinar aos seus ouvintes a verdadeira ciência da vida abundante. Àquele homem que domina os detalhes da ciência de ficar rico, com as ciências aliadas de estar bem, de ser grandioso e de conquistar o amor, e que ensina esses detalhes do púlpito, nunca faltará uma congregação. Esse é o evangelho de que o mundo precisa, que trará melhorias à vida e as pessoas o ouvirão de bom grado, e todos darão apoio ao homem que o trouxer a eles.

O que agora é necessário é uma demonstração da ciência da vida a partir do púlpito. Queremos pregadores que não apenas possam nos dizer como, mas que também eles mesmos sejam o exemplo. Precisamos do pregador que seja rico, saudável, grandioso e amado, para nos ensinar como alcançar essas coisas; e quando ele vier encontrará numerosos e leais seguidores.

O mesmo é verdade para o professor que pode inspirar as crianças com a fé e o propósito da vida para o progresso. Ele nunca ficará "sem emprego". E qualquer professor que tenha essa fé e propósito pode dá-los a seus alunos; ele não pode deixar de dar a eles se isso for parte de sua própria vida e prática.

O que é verdadeiro para o professor, pregador e médico é verdade para o advogado, o dentista, o corretor de imóveis, o agente de seguros – é verdadeiro para todos.

A ação mental e pessoal combinada que descrevi é infalível, não pode fracassar. Todo homem e toda mulher que seguirem essas instruções à risca, com firmeza e perseverança, ficarão ricos. A lei da Melhoria de Vida é tão matematicamente certa em sua operação quanto a lei da gravidade, ficar rico é uma ciência exata.

O assalariado achará isso tão verdadeiro em seu caso quanto em qualquer dos outros exemplos mencionados. Não sinta que você não tem chance de ficar rico porque está trabalhando onde não há oportunidades visíveis de progresso, onde os salários são baixos e o custo de vida é alto. Crie a sua imagem mental clara do que você quer e comece a agir com fé e propósito.

Faça todo o trabalho que puder fazer, todos os dias, e faça cada parte do trabalho de uma maneira perfeitamente bem-sucedida, coloque o poder do sucesso e o propósito de ficar rico em tudo o que você faz.

Mas não faça isso meramente com a ideia de obter favores do seu empregador, na esperança de que ele, ou aqueles acima de você, vejam o seu bom trabalho e o promovam, não é provável que o façam.

O homem que é apenas um "bom" trabalhador, ocupando o seu lugar com o melhor de suas habilidades, e satisfeito com isso, é valioso para seu empregador, e não é do interesse do empregador promovê-lo, ele vale mais onde está.

Para garantir o avanço, algo mais é necessário do que ser grande demais para o seu lugar.

O homem que tem certeza de avançar é aquele que é grande demais para o seu lugar e que tem uma noção clara do que ele quer ser, é quem sabe que pode se tornar o que deseja ser, e que está determinado a SER o que deseja.

Não tente mais do que preencher o seu lugar atual com o objetivo de agradar o seu empregador, faça isso com a ideia de progredir, faça em seu benefício. Mantenha a fé e o propósito da melhoria contínua durante o horário de trabalho, após o horário de trabalho e antes do horário de trabalho. Mantenha-os com você de tal maneira que cada pessoa com quem entre em contato, seja o chefe, o colega de trabalho ou um conhecido, sinta o poder do propósito irradiando de você, para que todos tenham a sensação de seu avanço e crescimento. Os homens se sentirão atraídos por você, e, se não houver possibilidade de progredir em seu emprego atual, em breve você verá uma oportunidade de aceitar outro emprego.

Há um poder que nunca deixa de apresentar oportunidades ao homem que avança, que age em obediência à lei.

Deus não pode deixar de ajudá-lo se você agir de Modo Certo; Ele deve fazer isso para ajudar a Si mesmo.

Não há nada nas suas circunstâncias ou na situação do mercado que possa mantê-lo deprimido. Se você não pode ficar rico trabalhando para o monopólio do aço, pode ficar rico em uma fazenda de quatro hectares, e se começar a se mover de Modo Certo, seguramente, escapará das "garras" do monopólio do aço e irá para a fazenda – ou para onde quiser.

Se alguns milhares de seus funcionários adotassem o Modo Certo, o monopólio do aço logo estaria em uma situação difícil, teria de dar mais oportunidades a seus trabalhadores, ou, então, sairia do mercado. Ninguém precisa trabalhar para um monopólio, os monopólios podem manter os homens nas chamadas condições desesperadoras apenas enquanto houver homens que sejam muito ignorantes para saber da ciência de ficar rico, ou muito preguiçosos intelectualmente para praticá-la.

Comece com essa maneira de pensar e agir, e sua fé e o seu propósito o farão ver rapidamente qualquer oportunidade de melhorar sua condição.

Essas oportunidades virão rapidamente, pois o Supremo, trabalhando em todas e trabalhando para você, as trará até você.

Não espere por uma oportunidade de ser tudo o que você deseja ser; quando uma oportunidade de ser mais do que você é agora for apresentada, e você se sentir impelido a ela, aproveite-a. Esse será o primeiro passo em direção a uma oportunidade maior.

Não existe como algo possível neste universo a falta de oportunidades para o homem que está vivendo uma vida que avança.

É inerente à constituição do cosmos que todas as coisas sejam para esse homem e cooperem para o seu bem; e ele certamente ficará rico se agir e pensar de Modo Certo. Portanto, desde que homens e mulheres assalariados estudem este livro com grande cuidado e iniciem com confiança o curso de ação que ele prescreve, isso não vai falhar.

CAPÍTULO XVI

Algumas advertências e observações conclusivas

Muitas pessoas zombarão da ideia de que existe uma ciência exata para enriquecer. Mantendo a impressão de que a oferta de riqueza é limitada, elas insistirão que as instituições sociais e governamentais devem ser mudadas antes mesmo que um número considerável de pessoas possa adquirir uma competência.

Mas isso não é verdade.

É verdade que os governos existentes mantêm as massas na pobreza, mas isso ocorre porque as massas não pensam e não agem de Modo Certo.

Se as massas começarem a avançar conforme sugerido neste livro, nem os governos nem os sistemas industriais poderão controlá-las, todos os sistemas devem ser modificados para acomodar o movimento para a frente, o movimento de melhoria.

Se as pessoas têm a mente que avança, têm a fé de que podem ficar ricas e seguir em frente com o firme propósito de se tornarem ricas, nada pode mantê-las na pobreza.

Os indivíduos podem agir de Modo Certo a qualquer momento, e sob qualquer governo, e enriquecer; e, quando um número considerável de indivíduos o fizer sob qualquer governo, eles farão com que o sistema seja modificado de modo a abrir o caminho para outros.

Quanto mais os homens enriquecem no plano competitivo, pior para as outras pessoas; quanto mais enriquecem no plano criativo, melhor para as outras pessoas.

A salvação econômica das massas só pode ser alcançada fazendo com que um grande número de pessoas pratique o método científico estabelecido neste livro e enriqueça. Essas pessoas mostrarão o caminho aos outros e os inspirarão com o desejo de uma vida real, com a fé de que ela pode ser alcançada e com o propósito de alcançá-la.

Por enquanto, porém, é suficiente saber que nem o governo sob o qual você vive nem o sistema capitalista ou competitivo da indústria podem impedi-lo de enriquecer. Ao entrar no plano do pensamento criativo, você se elevará acima de todas essas coisas e se tornará um cidadão de outro reino.

Mas lembre-se de que o seu pensamento deve ser mantido no plano criativo; você nunca será, por um instante, induzido a considerar os recursos como limitados, ou a agir no nível moral da competição.

Sempre que cair em velhas formas de pensamento, corrija-se instantaneamente, pois, quando você está na mente competitiva, perde a cooperação da Mente do Todo.

Não perca tempo planejando como enfrentará as possíveis emergências no futuro, exceto se as atitudes necessárias puderem afetar suas ações hoje. Você está preocupado em fazer o trabalho de hoje de uma maneira perfeitamente bem-sucedida, e não com emergências que possam surgir amanhã, você poderá atendê-las quando elas vierem.

Não se preocupe com perguntas sobre como você deve superar os obstáculos que podem surgir em seu horizonte de negócios, a menos que possa ver claramente que seu curso deve ser alterado hoje, a fim de evitá-los.

Não importa o quão tremenda uma dificuldade possa parecer a distância, você descobrirá que, se continuar de Modo Certo, ela desaparecerá à medida que você se aproximar dela, ou que aparecerá um caminho por cima, através ou ao redor dela.

Nenhuma combinação possível de circunstâncias pode derrotar um homem ou mulher que está se tornando rico de acordo com as linhas estritamente científicas. Nenhum homem ou mulher que obedece à lei pode deixar de ficar rico, assim como ninguém pode multiplicar dois por dois e deixar de obter quatro.

Não pense com ansiedade em possíveis desastres, obstáculos, sobressaltos ou combinações desfavoráveis de circunstâncias; há tempo suficiente para enfrentar essas coisas quando elas se apresentarem diante de você no presente imediato, e você descobrirá que cada dificuldade traz consigo os meios para sua superação.

Proteja o seu discurso. Nunca fale de si mesmo, dos seus negócios ou de qualquer outra coisa de forma desencorajada ou desanimadora.

Nunca admita a possibilidade de fracasso ou fale de uma forma que suponha o fracasso como uma possibilidade.

Nunca fale dos tempos como difíceis ou das condições do negócio como duvidosas. Os tempos podem ser difíceis e os negócios podem ser duvidosos para aqueles que estão no plano competitivo, mas nunca poderão ser para você, você pode criar o que quiser e você está acima do medo.

Quando outras pessoas estiverem passando por momentos difíceis e negócios ruins, você encontrará as suas melhores oportunidades.

Treine a si mesmo para pensar e olhar o mundo como algo que está acontecendo, que está crescendo, e considere o mal aparente apenas como algo não desenvolvido. Sempre fale em termos de avanço, fazer o contrário é negar a sua fé, e negar a sua fé é perdê-la.

Nunca se permita sentir-se desapontado. Você pode esperar ter certa coisa em determinado momento e não conseguir naquele momento – e isso lhe parecerá um fracasso.

Mas se você se apegar à sua fé descobrirá que o fracasso é apenas aparente.

Continue de Modo Certo, e, se não receber essa coisa, receberá algo tão melhor que verá que o aparente fracasso foi realmente um grande sucesso.

Um estudante dessa ciência decidira fazer certa combinação de negócios que na época lhe parecia muito desejável, e trabalhou algumas semanas para realizá-la. Quando chegou o momento crucial, a coisa falhou de uma forma perfeitamente inexplicável, era como se alguma influência invisível estivesse trabalhando em segredo contra ele. Mas não ficou desapontado; pelo contrário, agradeceu a Deus por seu desejo ter sido rejeitado e seguiu em frente com a mente grata. Em poucas semanas, uma oportunidade muito melhor surgiu em seu caminho, de um modo que ele não teria realizado com o primeiro negócio de forma alguma, então constatou que uma Mente que sabia mais do que ele o havia impedido de perder o bem maior envolvendo-se com algo inferior.

É assim que todo fracasso aparente funcionará para você se mantiver sua fé, se se apegar ao seu propósito, tiver gratidão e fizer, todos os dias, tudo o que pode ser feito naquele dia, realizando cada ato de maneira bem-sucedida.

Quando você falha, é porque não pediu o suficiente; continue, e algo maior do que estava procurando certamente virá até você. Lembre-se disso.

Você não vai falhar por não ter o talento necessário para fazer o que deseja. Se continuar em frente como indiquei, você desenvolverá todo o talento necessário para fazer seu trabalho.

Não está no escopo deste livro lidar com a ciência do estímulo de talentos, mas é tão certo e simples quanto o processo de enriquecimento.

No entanto, não hesite ou vacile por medo de que, quando chegar a certo lugar, irá falhar por falta de habilidade; continue em frente, e, quando você chegar a esse lugar, a habilidade será fornecida a você. A mesma fonte de habilidade que permitiu ao inexperiente Lincoln fazer o maior trabalho governamental já realizado por um único homem está disponível para você; você pode atrair toda mente que existe, toda a sabedoria, a fim de cumprir as responsabilidades que lhe são impostas. Continue com plena fé.

Estude este livro. Faça dele o seu companheiro constante até que tenha dominado todas as ideias nele contidas. Enquanto está se firmando nessa fé, fará bem em desistir da maioria das distrações e prazeres e ficar longe de lugares onde ideias conflitantes com essas são apresentadas em palestras ou sermões. Não leia literatura pessimista ou conflitante, nem entre em discussões sobre o assunto. Faça muito pouca leitura além dos escritores mencionados no

Prefácio. Passe a maior parte do tempo de lazer contemplando sua imagem mental, exercitando a gratidão e lendo este livro. Ele contém tudo o que você precisa saber sobre a ciência de ficar rico – e você encontrará todos os fundamentos resumidos no capítulo seguinte.

CAPÍTULO XVII

Resumo da ciência para ficar rico

Existe uma matéria do pensamento da qual todas as coisas são feitas e que, em seu estado original, permeia, penetra e preenche os interespaços do universo.

Um pensamento, nesse conteúdo, produz a coisa que é formada pelo pensamento.

O homem pode criar coisas em seu pensamento e, ao imprimir o pensamento na Substância Amorfa, pode fazer com que essas coisas nas quais ele pensa sejam criadas.

Para fazer isso, o homem deve passar da mente competitiva à mente criativa; caso contrário, ele não pode estar em harmonia com a Inteligência Amorfa, que é sempre criativa e nunca competitiva em essência.

O homem pode entrar em plena harmonia com a Substância Amorfa, nutrindo uma gratidão viva e sincera pelas bênçãos que ela lhe concede. A gratidão unifica a mente do homem com a inteligência da Substância, de modo que os pensamentos do homem são recebidos pelo Amorfo. O homem só pode permanecer no plano criativo unindo-se à Inteligência Amorfa por meio de um sentimento profundo e contínuo de gratidão.

O homem deve formar uma imagem mental clara e precisa das coisas que deseja ter, fazer ou se tornar, e ele deve manter essa imagem mental em seus pensamentos enquanto é profundamente grato ao Supremo por todos os seus desejos serem concedidos a ele. O homem que deseja enriquecer deve gastar suas horas de lazer contemplando a sua imagem mental e em sincero agradecimento porque a realidade está sendo dada a ele. Não pode ser colocado muito estresse sobre a importância da contemplação frequente da imagem mental, juntamente com fé inabalável e gratidão devota. Esse é o processo pelo qual a impressão é dada ao Amorfo e as forças criativas são colocadas em movimento.

A energia criativa atua por meio dos canais estabelecidos de crescimento natural e da ordem industrial e social. Tudo o que está incluído em sua imagem mental certamente será levado ao homem que segue as instruções dadas anteriormente, e cuja fé não vacila. O que deseja virá até ele através dos meios estabelecidos de negociação, mercado e comércio.

A fim de receber o que é seu quando chegar a ele, o homem deve ser ativo, e essa atividade só pode consistir em mais do que preencher o seu lugar atual. Ele deve ter em mente o Propósito de enriquecer por meio da realização de sua imagem mental. E ele deve fazer, todos os dias, tudo que pode ser feito naquele dia, cuidando para fazer cada coisa com sucesso. Ele deve dar a cada homem um valor de uso superior ao valor em dinheiro que recebe, de modo que cada transação crie mais vida, e deve manter o Pensamento Avançado de modo que a impressão de melhoria seja comunicada a todos com quem entrar em contato.

Os homens e mulheres que praticarem as instruções anteriores certamente ficarão ricos, e as riquezas que receberem serão na proporção exata da precisão de sua imagem mental, da firmeza de seu propósito, da firmeza de sua fé e da profundidade de sua gratidão.

* * * * *

Livros para mudar o mundo. O seu mundo.

Para conhecer os nossos próximos lançamentos e títulos disponíveis, acesse:

- www.**citadel**.com.br
- /**citadeleditora**
- @**citadeleditora**
- @**citadeleditora**
- Citadel - Grupo Editorial

Para mais informações ou dúvidas sobre a obra, entre em contato conosco pelo e-mail:

- contato@**citadel**.com.br